SpringerWienNewYork

Edition Angewandte – Buchreihe der
Universität für angewandte Kunst Wien
Herausgegeben von Gerald Bast, Rektor

edition: 'ʌngewʌndtə

Jan Svenungsson

Ein Künstler-Text-Buch

mit einem Nachwort
von Robert Pfaller

SpringerWienNewYork

Jan Svenungsson
Abteilung Grafik | Druckgrafik, Universität für angewandte Kunst
Wien, Wien, Österreich

Printed in Austria
SpringerWienNewYork ist ein Unternehmen von
Springer Science + Business Media, springer.at

Übersetzung aus dem Englischen: Conny Habbel
Lektorat: Michael Walch
Graphische Gestaltung: Tina Greisberger & Agata Pierzchanowska
Druck und Bindearbeiten: Holzhausen Druck GmbH,
1140 Wien, Austria

Gedruckt auf säurefreiem, chlorfrei gebleichtem Papier – TCF

SPIN: 86147731

Bibliografische Information der Deutschen Nationalbibliothek
Die Deutsche Nationalbibliothek verzeichnet diese Publikation in der Deutschen Nationalbibliografie; detaillierte bibliografische Daten sind im Internet über http://dnb.d-nb.de abrufbar.

ISSN 1866-248X
ISBN 978-3-7091-1357-8 SpringerWienNewYork

Inhalt

Vorwort zur deutschen Ausgabe

Dies ist ein Buch über das Schreiben, aus meiner Perspektive als bildender Künstler.

Künstler müssen heute aus verschiedensten Anlässen schreiben, ob sie wollen oder nicht. Viele wollen nicht und wünschten, das Verfassen von Texten fiele ihnen leichter. Oft hört man über die Kunsthochschulen klagen, an denen es nur wenig oder keine Zeit gibt für das Schreiben, als eigenes Fach – unterrichtet von Künstlern, die die Anliegen der Studierenden kennen und teilen.

Mir macht das Schreiben wirklich Freude. Ich nutze es, um mir über Dinge klar zu werden, die ich nicht wusste, oder mehr noch über solche, die ich zu wissen glaube. Ich schreibe nicht, um Diskussionen zu beenden oder definitiv darzulegen, wie eine bildnerische Arbeit zu verstehen ist. Eine Kunstform kann niemals wirklich durch eine andere übersetzt werden. Das ist unser Glück.

Anfang 2005 organisierte ich einen Workshop für das Doktoratsstudium an der Kuvataideakatemia, der Finnischen Akademie der Künste in Helsinki, und hielt zwei Vorträge über das Schreiben von Künstlern. Die Vorbereitungen hierfür waren umfangreich. Eine Phase intensiven Lesens und Notierens führte schließlich zur ersten Version des vorliegenden Textes.

Die Vorträge wurden damals verfasst, um gehört, nicht um gelesen zu werden. Ihre Adaptierung für ein Buchformat machte einige Änderungen notwendig. Kehre ich nach einiger Zeit zu einem Text zurück, springen mich immer Wörter,

Formulierungen und Gedanken an, die verbessert werden wollen. Ich habe versucht, das sorgfältig zu tun. Ebenso habe ich mich bemüht, der Versuchung zu widerstehen, den Text komplett umzuarrangieren oder umzuschreiben. Ich wollte kein neues Buch schreiben, sondern dem Charakter des Originals treu bleiben und den Text dafür vorbereiten, dass er in aller Ruhe gelesen wird. Für den Workshop hatte ich damals auch Texte zusammengestellt, die nun in Form einer Leseliste, am Ende des Buches, zu finden sind. Diese wurde inzwischen erweitert und umfasst nun auch die deutschen Übersetzungen der zitierten Bücher. Eine Publikation von Tacita Dean – die im Original nicht besprochen wurde – habe ich ergänzt.

Das vorliegende Buch analysiert Schriften einiger Künstlerinnen und Künstler. Es bietet darüber hinaus praktische Ratschläge und Anregungen zum Schreiben, die meinen eigenen Erfahrungen entspringen. Es ist nicht frei von Widersprüchen. Ich hoffe, dass es für jeden[1], der schreibt oder schreiben will, interessant und hilfreich ist, ob Künstler oder nicht. Sollte ich an manchen Stellen naiv oder selbstbezogen wirken, so wird das – hoffentlich – als eine Tugend durchgehen können.

Ich bin Schwede und lebe in Deutschland. Seit Herbst 2011 unterrichte ich in Österreich. Als ich in Finnland lehrte, bat man mich, dies in englischer Sprache zu tun. Im Hinblick auf das Thema des Buches mag es seltsam erscheinen, dass

1 Zugunsten einer besseren Lesbarkeit wird in den meisten Fällen auf die gleichzeitige Nennung männlicher und weiblicher Sprachformen verzichtet. Selbstverständlich richtet sich dieses Buch an beide Geschlechter gleichermaßen und handelt von Künstlerinnen wie Künstlern, von Autorinnen wie Autoren, von Leserinnen wie Lesern (A.d.Ü.).

es in einer Zweitsprache geschrieben wurde. Andererseits hat gerade das seinen Reiz. Angesichts der Internationalisierung der Kunstwelt kommunizieren Künstler heute auf der ganzen Welt auf Englisch. Sicherlich ist es anders und komplizierter, in einer anderen als der Muttersprache zu schreiben, aber eine ernste Bemühung, es zu tun, kann durchaus Möglichkeiten eröffnen, derer man sich vorher nicht bewusst war. Im zweiten Teil des Buches analysiere ich Texte von außergewöhnlichen Künstler-Autoren. Zwei von ihnen schrieben in einer Sprache, die nicht ihre Muttersprache war. Darüber hinaus kann ich nicht abstreiten, dass mich die Unsinnigkeit eines solchen Unternehmens enorm anzog. Viele meiner Projekte entstanden auf diese Weise.

Ich möchte Andrew Shields in Basel für seine feinfühlige Mitarbeit danken, die gewährleistete, dass das Englisch in der Originalausgabe des Buches korrekt und trotzdem immer noch mein Englisch war. Sehr dankbar bin ich auch Conny Habbel für ihre anregende Übersetzung des Buches ins Deutsche. Es ist ein wunderbarer Lernprozess, wenn man die Möglichkeit hat, einen Text dabei zu begleiten, während er von einer Sprache in die andere wandert, und zu beobachten, welche Nuancen er dabei entwickelt. Eine Übersetzung kann Dinge noch verbessern. Das Begleitwort dieser Ausgabe schrieb der Philosoph Robert Pfaller, mein neuer Kollege an der Universität für angewandte Kunst. Allerbesten Dank hierfür, deine Beteiligung ehrt mich. Ich danke auch Professor Jan Kaila in Helsinki, dass er mich damals eingeladen hat, mit diesem Projekt zu beginnen, und mich auch später kontinuierlich in den Ideen gestärkt hat, die dieses Buch zum Ausdruck bringt.

Der ausschlaggebende Text

Künstler kommen heute nicht umhin, sich zu erklären, und sie kommen nicht umhin zu schreiben. Schon an der Kunsthochschule müssen sie wortreich beschreiben, worum es in ihrer Arbeit geht – und später noch wortreicher. Man muss immer dazu bereit sein, über seine Arbeit zu sprechen – einerlei ob real vorhanden oder nur als Schatten in der Vorstellung –, um in Ausstellungen aufgenommen zu werden oder Geld zum Arbeiten oder zum Leben zu bekommen. Meistens müssen diese Wörter auf Papier erscheinen oder auf einem Bildschirm.

Da man dem Schreiben nicht entkommen kann, muss man sich also überlegen, wie man es macht und worauf man dabei abzielt. Wer bestimmt darüber? Wie kann ich Kontrolle gewinnen? Was ist gutes Schreiben und was schlechtes?

Ich habe mich stets als bildender Künstler betrachtet. Trotzdem habe ich seit 1981 eine beträchtliche Anzahl an Texten publiziert. Und diese alternative Form des Ausdrucks habe ich immer geliebt. Meistens schrieb ich auf Schwedisch, manchmal auch auf Englisch oder Französisch und viele der Texte wurden noch in weitere Sprachen übersetzt.

Üblicherweise handelte es sich dabei um kurze Essays und Artikel – über Kunst, Musik, Architektur. Sie erschienen in Ausstellungskatalogen (zu eigenen Ausstellungen und solchen anderer Künstler), in Zeitungen oder Magazinen. Viele der Texte wurden in Auftrag gegeben. Wenn ich eingeladen werde, über ein Thema zu schreiben, lehne ich nur selten ab. Ich bin viel zu neugierig darauf, was aus mir herauskommen wird, wenn ich ein Angebot annehme, über ein Thema zu schreiben, selbst wenn ich nicht damit vertraut bin. Ich war immer davon überzeugt, dass Ideen während des Schreibprozesses entstehen, und ich will zur Stelle sein, um sie willkommen zu heißen. Ich brauche nur einen Ausgangspunkt. Manchmal läuft das Schreiben wie von alleine, auch wenn ich viel von meiner vorangegangenen Arbeit verwerfen muss, damit das überraschende Ergebnis entstehen kann. Der Vorgang des Schreibens an sich fasziniert mich zutiefst.

Vor einigen Jahren hielt ich einen Vortrag über mein „Hebdomeros"-Projekt auf einem Symposion in Paris, das sich mit Texten von Künstlern befasste. Die Publikation der gesammelten Vorträge der Konferenz wurde mir später zugeschickt: ein dickes Buch. Zahlreiche Kunsthistoriker präsentieren darin detaillierte Untersuchungen zu den verschiedensten Fragestellungen. Ich bin der einzige darin vertretene Künstler, also der Einzige, der für sich selbst spricht. Meiner Meinung nach gibt es gravierende Unterschiede zwischen der Rolle des Künstlers und jener des Gelehrten. Beide Rollen sind interessant – aber kann man sie miteinander vereinen?

Meine Recherchearbeit für diesen Text war um einiges regelloser verlaufen, als es sich die Kunsthistoriker in Paris jemals hätten erlauben können. Ich kann mir das Recht auf Vieldeutigkeit erlauben, das ist mein Privileg als Künstler. Recherche nach dem Zufallsprinzip gehörte schon immer zu meinen bevorzugten Herangehensweisen. Ich arbeite aktiv, nicht reaktiv.

Was mich ursprünglich dazu veranlasste, Künstler zu werden, war ein Text. Als ich fünfzehn Jahre alt war, las ich *Self Portrait* (Man Ray, Selbstportrait)[2], die Autobiografie des amerikanischen Dadaisten Man Ray. Ich war von dieser wundersamen Geschichte hingerissen, von den Möglichkeiten, die dieser Text von einem Leben entwarf, wie man es – vielleicht – führen konnte. In diesem Alter sind den Vorstellungen, die man sich über sein späteres Leben macht, so gut wie keine Grenzen gesetzt. Die Perspektiven ändern sich, wenn man älter wird.

Die Erzählung dieses Künstlers, von ihm selbst geschrieben, beeindruckte mich. Die Art und Weise, wie Man Ray die Darstellung seines Lebens und seiner Arbeit in die Hand genommen hatte! So kann ein Text eine Kette von Ereignissen in Gang setzen.

Zufällig war mir in einer Zeitschrift ein Zitat daraus untergekommen. Es handelte davon, wie Man Ray in wenigen Tagen einen Film für ein Dada-Festival anfertigen sollte und wie er diesen in seiner Dunkelkammer zusammenschusterte, indem er Nägel auf Einzelbilder belichtete –und vom Skandal, der darauf folgte. Ich wusste sofort, dass ich dieses Buch haben musste.

Als Künstler will man Menschen erreichen, will sie neugierig machen, sie inspirieren, Richtungen aufzeigen, will dazu anregen, Dinge in einem bestimmten Licht zu betrachten, will Leben und Gesellschaft analysieren und kritisieren. Man Ray beeindruckte mich mit seinem Bestreben, all das zu tun, indem er Wörter zusammenstellte, um in *seiner* Art zu kommunizieren: in einem verbalen Gemälde

2 Man Ray: Man Ray, Selbstportrait. Eine illustrierte Autobiographie (1963). Übersetzt von Reinhard Kaiser. München: Schirmer/Mosel 1998.

über sein Leben. Während er das Buch schrieb, muss er sich endlose Fragen über alternative Wege gestellt haben. Für die Arbeit an diesem Buch brauchte Man Ray gut fünfzehn Jahre. Trotzdem muss er schon zu Beginn eine Ahnung davon gehabt haben, was der Kern dieses Textes, der ihn ständig begleitete, sein würde. Jeder Autor braucht eine richtungsweisende Ahnung, eine zugrundeliegende Idee und eine Vision, auch wenn er anfangs noch nicht weiß, wo die Straße zu finden ist, die zum Ziel führt. Im Fall von Man Ray verdichtet sich diese leitende Vision in wenigen Worten, die er einige Monate vor Erscheinen des Buches an seinen Verleger schrieb:

> *Inspiration, nicht Information, ist der allgemeine Zweck dieses Buches.*[3]

Es war ein ganz besonderes Gefühl für mich, als ich viele Jahre später vom Stockholm Moderna Museet eingeladen wurde, einen Essay für den Katalog zur dortigen Man-Ray-Ausstellung (2004) zu schreiben.[4] Der Kurator sagte, er wolle meine persönliche Geschichte über Man Ray. Das gab mir die Gelegenheit, zurückzukehren und *Self Portrait* noch einmal zu analysieren, auf gründlichere und ganz andere Weise als bei der ersten Lektüre.

In dem Text, den ich schrieb, verflechte ich meine Erinnerung daran, wie mich das Lesen von Man Rays Buch mit Menschen zusammenbrachte, die ihn in Paris gekannt

3 Neil Baldwin: Man Ray, American Artist. New York: Potter 1988, S. 314. (Übers. C.H.).

4 Jan Svenungsson: „The Making of Man Ray“. In: Man Ray Moderna Museet 2004, Moderna Museet. Stockholm 2004, S. 27–37.

hatten, und was dann geschah, mit einer Hinterfragung von Man Rays Beweggründen, diesem Text eine derartige Bedeutung beizumessen. Wie kann es sein, dass eine Erzählung einen so zentralen Platz in seinem Oeuvre einnimmt? Warum ist das so? Welchen Zweck erfüllt das? Ich denke, dass Man Ray mit einem Identitätsproblem zu kämpfen hatte, das daher rührte, dass seine künstlerischen Aktivitäten sich nicht auf eine einzige Technik beschränkten: Er war Maler wie Filmemacher, Bildhauer wie Fotograf. So musste er eine Struktur erschaffen, in der er alle seine Aktivitäten zusammenfügen und gleichzeitig motivieren konnte. Schon in jungen Jahren hatte der Künstler das Bedürfnis, eine Art verbales Gerüst zu errichten, um sein unzusammenhängendes Werk herum. Ein „narratives Tragwerk“, das ihm die Interpretationshoheit sichern sollte. Bevor er seine Autobiografie schrieb, hatte er bereits – was damals unüblich war – etliche Texte und Bücher über seine Arbeit publiziert. Man Ray beschäftigte sich weit mehr mit seinem Image als die meisten seiner Zeitgenossen. In seinen Schriften bemüht er sich, eine alles umfassende Logik für seine künstlerische Arbeit zu konstruieren, die nicht immer auf Tatsachen beruhen muss. Zum Beispiel behauptete er:

> *Ich fotografiere die Dinge, die ich nicht malen will.*[5]

In Wirklichkeit aber ist leicht zu erkennen, dass so gut wie alle figurativen Malereien und Zeichnungen Man Rays ab 1921 auf Fotografien basieren. Aber ist das wichtig? Der Satz

5 „Entretien avec Man Ray“. In: Philippe Sers (Hg.): Man Ray Photographe. Catalogue de l'exposition du Musée national d'art moderne-Centre Georges Pompidou. Paris 1985, S. 35 (Übers. C.H.).

klingt gut und er ergibt Sinn, auf seine eigene Art. Text war für diesen Künstler einfach ein weiteres Werkzeug, um bestimmte Ziele zu erreichen und nicht um damit eine Art höhere Wahrheit zu verkünden.

Diese Geschichte wird selektiv und vollkommen unchronologisch erzählt und erfüllt doch ihren Zweck: Sie vermittelt Man Rays gewünschtes Image von seinem Leben und seiner Arbeit. Die Vorgehensweise ist subtil und scheinbar selbstlos: Der Großteil des Buches widmet sich der Beschreibung von Freunden und Kollegen (die heute nahezu alle berühmt sind, was die Sache umso attraktiver macht). In ihrer Gesamtheit aber formen diese Portraits eine Art Raster, durch das hindurch Man Rays eigene Konturen hervortreten, gefärbt von den bunten Eigenschaften seiner Freunde.

Als Fotograf hatte Man Ray ein unbestreitbares Talent für *Styling* – dafür, Männer und Frauen attraktiv aussehen zu lassen und zugleich maximal „authentisch". Auch beim Schreiben seiner Autobiografie wandte er diese Technik an, in Form einer Narrativierung seines Lebens in Worten. Seine sorgfältig orchestrierte Lebensgeschichte als Künstler wird zum Dreh- und Angelpunkt, von dem aus alle seine zerstreuten Ideen aufgespürt und erklärt werden können. Diese Geschichte erschafft eine Aura, deren Licht auf die Kunstwerke abstrahlt.

Mit dieser narrativierten Version seiner selbst gelang es Man Ray, eine Behauptung über „Man Ray" aufzustellen, die von da an niemand ignorieren konnte. Ich denke, sein höchstes Bestreben war es, seine Trademark zu etablieren.

Auch andere Künstlerinnen und Künstler haben gegen Ende ihres Lebens Autobiografien verfasst. Nur wenige von diesen Büchern nahmen aber einen zentralen Platz im jeweiligen Oeuvre ein, kaum eines steht auf einer Stufe mit der bildnerischen Arbeit. Meist sind es mehr oder weniger verblasste Erinnerungen an das, was war. Die meisten Menschen, die über ihr Leben schreiben, versuchen, gut dabei auszusteigen. Nur wenigen gelingt es, über sich selbst in einer Form zu schreiben, die einen transformativen, produktiven Charakter hat.

Angesichts dieser und anderer Beispiele bildender Künstler, die den Drang verspürten, zu schreiben, mag man sich fragen, ob der Umstand, dass sie bildende Künstler sind, von Bedeutung ist. Unterscheidet sich ein Maler, der beschließt, ein Buch zu schreiben, von einem Musiker, der dasselbe tut – oder von einem Klempner?

- Was mag es sein, das bildende Künstler zu ihren bestehenden Ausdrucksmöglichkeiten hinzufügen können?
- Wie wirkt es sich auf das Verhältnis von Text und Bild aus, wenn sich dieselbe Person in beiden Formen ausdrückt?
- Haben Texte, die von bildenden Künstlern verfasst wurden, irgendwelche Gemeinsamkeiten?
- Gibt es Schreibeigenarten, denen man bei ihnen häufiger begegnet?
- Gibt es etwas, das bildende Künstler ausschließlich durch das Schreiben erreichen können und das eine wichtige Ergänzung zu ihrer bildnerischen Arbeit darstellt?

Künstler mussten nicht immer schreiben. In Man Rays Generation etwa trafen sie eine aktive Entscheidung für das Schreiben. Die meisten Künstler der Moderne brauchten, abgesehen von ihrer Korrespondenz, nicht zu schreiben, weder während ihrer Ausbildung (falls sie je eine durchlaufen haben) noch danach. Denn für die Gesellschaft – einschließlich der Künstlerkreise – waren die verschiedenen Kunstgattungen klar getrennt: Es gab Poeten, Journalisten, Bildhauer, Maler und so weiter. Jede Kategorie definierte sich durch eine bestimmte Produktionsweise. Es bedurfte keiner ständigen Neudefinition, als was man sich selbst betrachtete, da die Werkzeuge des eigenen Handwerks diese Definition mit sich brachten.

Diese Gewissheit begann sich mit Marcel Duchamps populärem Durchbruch in den frühen Sechzigerjahren grundlegend zu ändern. Sein Nachhall reichte von Pop Art, Minimalismus und Konzeptkunst bis zu *Relational Aesthetics* und dem „Kuratorismus" der Gegenwart. Seither hat sich das Selbstverständnis zeitgenössischer Künstler unwiderruflich geändert, es beruht heute weit mehr auf sprachbasierten Definitionen als auf einer spezifischen handwerklichen Fertigkeit. Dieser Paradigmenwechsel schwappte etwas verzögert auch auf die Kunstausbildung über. Früher kritisierten Dozenten an Kunsthochschulen die Skizzen ihrer Studierenden mit Bleistift oder Pinsel, heute diskutieren sie lieber die verbalen Äußerungen der Studenten über ihre Arbeit. Ab den Sechzigern begannen Kunstakademien, zugunsten einer Angliederung an die Universitäten, ihren unabhängigen Status aufzugeben. Der Umstand, dass Künstler heute Doktorarbeiten über ihre eigene künstlerische Arbeit schreiben, sei als Extrembeispiel dieser allgemeinen Entwicklung genannt.

Ehe ich diesen Text schrieb, las ich eine Menge, und da ich in englischer Sprache schreiben würde, beschränkte ich mich auch beim Lesen auf diese Sprache. Selbstverständlich gibt es Unterschiede darin, wie man schreibt, je nach Sprache, die man verwendet (vergleichen Sie nur französische Zeitungen mit englischen oder deutsche mit schwedischen), aber das ist nicht mein Thema. Es gibt wichtige Faktoren in einem Text, die sprachunabhängig bleiben.

Wie ich schreibe

Kürzlich fragte ich eine befreundete Kunsthistorikerin beim Essen, was denn die nötigen Voraussetzungen zum Schreiben einer kunstgeschichtlichen Doktorarbeit seien. Ihre Antwort war einfach. Drei Punkte:

1. eigene Idee
2. gutes Material
3. kenne dein Gebiet

Einige Tage später fand ich im Buchladen ums Eck ein Penguin-Handbuch für das Schreiben in englischer Sprache, das ich mir aus reiner Neugier kaufte. Unter anderem las ich hier diese grundlegenden Beobachtungen:

> Schreiben ist eine Form von Kommunikation und jede Kommunikation beinhaltet einen Sender, einen Empfänger und einen Zwischenraum, der überbrückt werden muss.[6]

> ... Sie können nicht nur bestimmen, wie Ihre Nachricht verstanden wird, sondern auch, wie Sie als Person wahrgenommen werden. [...] Entscheidend ist, dass Sie es in der Hand haben, dass Sie imstande sind, Ihr Image zu definieren, ruhig und in Ihrem eigenen Tempo, ebenso, wie Sie Ihre Aussage definieren.[7]

6 Martin Manser / Stephen Curtis: The Penguin Writer's Manual. London: Penguin Books 2002, S. 181. (Übers. C.H.).

7 Ebd., S. 182.

> Die landläufige Vorstellung von einem guten Schreibstil hat sich wahrscheinlich seit Jahrhunderten nicht nennenswert verändert – im Englischen zumindest nicht mehr seit dem ausgehenden siebzehnten Jahrhundert. Im einundzwanzigsten Jahrhundert kennzeichnen dieselben Eigenschaften guten Schreibstil wie in den vorhergehenden Jahrhunderten: Klarheit, Schlichtheit, Zweckdienlichkeit, Abwechslungsreichtum, Elan und Angemessenheit.[8]

> Gute Prosa ist rhythmisch, wie Poesie. Im Gegensatz zum Großteil der Poesie hat sie aber keinen regelmäßigen, sich wiederholenden Rhythmus. Prosaischer Rhythmus sollte subtiler, unaufdringlicher sein. Er besteht aus einer wohltuenden Abfolge längerer und kürzerer, betonter und weniger betonter Wörter und Silben.[9]

Dann stieß ich auf den kurzen Text eines Künstlers, in einem Katalog über seine Arbeit. Ich las den Text (den ich hier nicht wiedergeben will), las ihn wieder und dann las ich ihn noch einmal: Der erste Satz ist einfach. Der zweite komplizierter. Beim dritten Satz bin ich verloren. Ich verstehe kaum ein Wort, geschweige denn warum der Autor diese Worte verwendet. Was geht hier vor?

Natürlich könnte ich mich hinsetzen und mühevoll versuchen, den genauen Sinn dieser Zeilen zu verstehen, wie ein braver Schüler. Ganz gewissenhaft könnte ich die komplizierte grammatikalische Konstruktion eines jeden Satzes unter die Lupe nehmen und die mir unbekannten Wörter in einem Wörterbuch nachschlagen. Gleichzeitig müsste

8 Ebd., S. 198.

9 Ebd., S. 228.

ich versuchen, in meinem Kopf neu zusammenzusetzen, was hier eigentlich kommuniziert wird. Möglicherweise könnte ich den Text anschließend in eine kürzere Form umschreiben, vielleicht würde ich auch dieselbe Anzahl an Wörtern brauchen. Ich weiß es nicht und es macht keinen Unterschied. Der Text würde mich immer noch irritieren. Wie kann man nur absichtlich in einem überkomplexen und schwer verständlichen Stil schreiben? Vor allem als Künstler, der seine eigene Ausstellung vorstellt. Was verspricht er sich davon? Ich verwende den Ausdruck „absichtlich", weil ich von eben diesem Künstler weiß, wie gut er schreiben kann. In diesem Text aber taucht ein Zynismus auf, eine Aggression dem Leser gegenüber, ein (bewusster oder unbewusster) Wunsch, den Leser abprallen zu lassen, anstatt ein echtes Verständnis zu ermöglichen. Kann man so eine Haltung je rechtfertigen?

Kann der Wunsch, unverständlich zu sein, einen guten Schreibstil anregen? Ich denke nicht. Ich bin der Meinung, dass ein guter Autor immer irgendwie versuchen wird, seine Leser – um ein heikles Wort zu verwenden – zu *verführen*, nicht sie anzugreifen. Denn wenn der Leser nicht liest, was der Autor geschrieben hat, dann existiert der Text schlichtweg nicht!

Text ist eine Form von Kommunikation in der Zeit. Die Leser müssen irgendwo beginnen (normalerweise am Anfang) und es muss genügend Anreiz geben, der sie motiviert, bis zum Ende weiterzulesen. Ein richtig langweiliger oder frustrierender Text wird, wenn überhaupt, ganz einfach nicht zu Ende gelesen. Folglich existiert er in keiner sinnvollen Weise. Die richtige Daseinsform eines Textes ist es, irgendwo zwischen den Buchstaben auf der Seite und der Vorstellung des Lesers zu schweben: während des Akts des Lesens und, wenn es ein guter Text ist, auch danach. Ein Dasein, das auf das Vorhandensein von Tinte auf Papier (oder von Bytes in einer Datei) beschränkt ist, die niemand je entziffern will, ist ein trauriges Schicksal für Wörter. Umso trauriger, wenn es der Text eines Künstlers ist. Solche Künstler könnten ihre Zeit besser nutzen.

Schreiben ist ein Handwerk. Man kann lernen, besser zu schreiben. Auch wenn man mitunter große Hindernisse überwinden muss. In den späten Neunzigern leitete ich das Master-Programm an der Schule für Fotografie und Film in Göteborg, eines der ersten Programme dieser Art in Schweden. Unter anderem war ich dafür zuständig, die Studierenden beim Schreiben zu unterstützen und ihnen zu helfen, sich auf das Verfassen ihrer Abschlussarbeiten vorzubereiten. Oft war ich überrascht, wie schwer es für diese Studierenden zu sein schien, sich aufzuraffen und tatsächlich zu schreiben ... irgendetwas ... ganz zu schweigen von ihrer Masterarbeit. Etwas schreiben zu müssen kann große Angst auslösen. Jedes Jahr gab es da überraschende Fälle. Studenten, von denen ich wusste, dass sie gut schreiben konnten, da ich andere Texte von ihnen kannte, die aber teilweise eine solche Ehrfurcht vor der bevorstehenden Aufgabe hatten, dass sie vollkommen blockiert waren. Viele, die es nicht schafften, scheiterten daran, dass sie nicht locker ließen. Sie waren nicht imstande, einfach herumzuspielen und das Schreiben unbekümmert anzugehen. In ihrer Herangehensweise waren sie „ordentlich“. Vielleicht glaubten sie, dass der Text in der richtigen Reihenfolge geschrieben werden müsse und man nicht am zweiten Kapitel schreiben dürfe, solange das erste Kapitel nicht fertig war.[10] Meiner Erfahrung nach beginnt man aber einen Text am besten mit dem genauen Gegenteil von Ordnung:

Erlauben Sie sich, viele Wörter zu schreiben, von denen Sie wissen, dass Sie sie in einer späteren Phase streichen werden. Am Anfang genügt es, eine vage Vorstellung davon zu haben, wovon der Text handeln wird. Sie wissen noch nicht, was Sie sagen werden, denn das erschließt sich erst beim Schreiben.

Ich glaube, dass das in unterschiedlichem Grade auf jeden Autor zutrifft, selbst auf einen so disziplinierten wie Flaubert (der dafür bekannt war, nur einige wenige Sätze pro Tag zu schreiben). Um sich der Formulierung der Ideen anzunähern, die Sie letztlich ausdrücken wollen, müssen Sie sich in der ersten Phase des Schreibens ein hohes Maß an Redundanz erlauben.

Wenn die Aufgabe ein Essay über ein bestimmtes Thema ist und Sie nur eine sehr vage Vorstellung davon haben, was darin vorkommen soll, dann habe ich hier einen Vorschlag, wie ich es mache – wenn ich genug Zeit habe. Andere werden eine andere Methode vorschlagen, aber das ist deren Angelegenheit. Ich gehe so vor:

Beginnen Sie damit, alles verfügbare Hintergrundmaterial zu lesen, und notieren Sie, was Sie interessant finden. Während dieser Lesephase werden automatisch Fragestellungen auftauchen, und ohne dass Sie genau darüber nachdenken müssen, werden vorläufige Versionen von

10 Nach zehn Jahren blicke ich nun auf diese Zeit zurück und auf die Laufbahnen meiner damaligen Studierenden. Ich bin froh und erleichtert, zu sehen, dass es niemanden daran hindert, ein erfolgreicher Künstler zu werden, wenn er einmal daran gescheitert ist, einen Text fertigzustellen. Schreiben ist – glücklicherweise – nicht alles!

Ideen (ob gut oder schlecht) entstehen. Diese sollten Sie alle aufschreiben. Wenn die Lesephase dann beendet ist, wird es Zeit, sich an den Computer zu setzen (ich sitze am liebsten gemütlich mit meinem Laptop auf dem Bett, Quellenmaterial um mich herum verteilt). Versuchen Sie, so konzentriert es geht, möglichst viel aus den Fingern zu schütteln, das eine Verbindung zum Thema hat. Ich schreibe am liebsten am Computer, damit von Anfang an alles an einem Platz gespeichert ist. Machen Sie Ihren Kopf frei! Denken Sie wie ein Surrealist: automatisches Schreiben! Fahren Sie fort, bis Ihnen nichts mehr einfällt, was auch nur im Entferntesten mit dem Thema zu tun hat. Wenn dieses Stadium erreicht ist, werden Sie wahrscheinlich eine Ladung von Text haben, der ein Vielfaches der Länge hat, die Sie eigentlich anpeilen. Es mag einige Stunden gedauert haben oder Tage oder Wochen oder …

Der Text wird voller Wiederholungen sein. Er wird viel Müll enthalten. Halbgare Gedanken, blöde Ideen, peinliche Ansichten. Das macht nichts! Keiner außer Ihnen wird diese Version lesen. Speichern Sie sie einfach auf Ihrer Festplatte und erstellen Sie eine Kopie: „Essay, zweite Version". Machen Sie eine Pause (eine Stunde, einen Tag oder eine Woche). Spazieren Sie durch die Straßen oder laufen Sie durch einen Wald. Körperliche Aktivität kann für einen Autor so wirken wie der Entwickler in einer fotografischen Dunkelkammer. Kehren Sie mit klarem Blick zurück zu Ihrem Text. Gehen Sie alles Geschriebene durch und würdigen Sie jeden Teil davon, werfen Sie noch nichts weg. Korrigieren Sie Rechtschreibfehler und füllen Sie offensichtliche Lücken. Ergänzen Sie, was auch immer Ihnen währenddessen dazu noch einfällt.

Jetzt kommen Sie in die entscheidende Phase. Schaffen Sie Platz auf einem Tisch, an einer Wand oder am Boden. Drucken Sie alles, was Sie geschrieben haben, auf Papier. Ordnen Sie die Textseiten vor sich. Schlüpfen Sie aus der Rolle des ungehemmten Produzenten in die des rigorosen Lektors.

Starten Sie, mit dem Stift in der Hand, einen Angriff auf Ihr Material. Eliminieren Sie alle Wiederholungen. Streichen Sie alle unsinnigen Stellen und alles, was ganz einfach irrelevant ist. Greifen Sie, falls nötig, zu Schere und Klebeband, um die einzelnen Teile neu zu ordnen. Dann übertragen Sie dieses neue Arrangement auf den Computer. Legen Sie eine weitere Pause ein.

Erstellen Sie eine neue Version Ihrer Datei. Gehen Sie den überarbeiteten Text aufmerksam durch und überprüfen Sie dabei, ob Sie selbst den Sinn eines jeden Satzes verstehen. Stellen Sie sicher, dass jeder einzelne davon nachvollziehbar ist. Wenn Sie Ihre Sätze selbst nicht voll und ganz verstehen, wird es auch sonst keiner tun. Während dieses Prozesses werden Ihnen viele kleine Details auffallen. Zusammen werden diese vielleicht Fragen aufwerfen und die Grundlage für neue Ideen bilden. Bringen Sie alle im Text vorhandenen Ideen und Themen in eine angemessene Form.

Drucken Sie wieder auf Papier. Lesen Sie mit dem Stift in der Hand. Bemühen Sie sich, Manierismen ausfindig zu machen, und modifizieren Sie diese. Achten Sie auf Symmetrien und wiederkehrende Wörter. Bedenken Sie noch einmal den Sinn. Streichen Sie wieder allen Müll. Übertragen Sie die Änderungen in den Computer.

Wiederholen Sie diesen Prozess, bis Sie das Gefühl haben, dass es nichts mehr gibt, was getan werden kann. Nichts mehr, was gekürzt werden kann. Sie müssen davon überzeugt sein, dass alle Gedanken klar sind und richtig geordnet.

Es wird einige Zeit in Anspruch nehmen. Pausen sind wichtig. Die Abläufe im Hintergrund des Gehirns können außerordentlich produktiv sein. Perspektivenwechsel sind nötig. Es ist eine komplett andere Erfahrung, ob man am Bildschirm liest oder von den ausgedruckten Seiten.

An einem gewissen Punkt in diesem Prozess werden Sie aufgehört haben, sich um Inhalt und Tiefe zu kümmern, da Sie inzwischen wissen, dass diese da sind. In den abschließenden Phasen des Schreibens dreht sich alles um den Wert von Wörtern und Sätzen. Es geht um das Äußere, den Rhythmus, die Spannung. Tiefe kann ohne Oberfläche nicht existieren!

Schließlich scheint es, als könnten Sie sich nicht länger einmischen. Der Text steht für sich allein. Er ist geboren.

Erfreuen Sie sich nun am überraschenden Ergebnis!

Was bedeutet Präzision in einem Text? Was ist Mangel an Präzision? Präzision bedeutet sicherlich nicht, komplizierte Wörter zu verwenden. Aber es kann so sein! Es gibt technische und philosophische Texte, in denen furchtbar komplizierte Wörter sinnvoll sein können – sie sollten aber niemals reiner Selbstzweck sein.

Die Verwendung einfacher Wörter garantiert jedoch noch lange keine größere Präzision – es hängt alles davon ab, wie die Wörter kombiniert werden. Was Sie mit ihnen machen, das ist es, was zählt, nicht die Wörter an sich. Jedes Wort hat eine oder mehrere Bedeutungen, so viel ist klar. Was das Schreiben so faszinierend macht, ist, wie diese Bedeutung unendlich variiert werden kann durch die Art und Weise, wie die Wörter kombiniert werden. Nebeneinander gesetzte Wörter können Funken sprühen und Feuer entzünden. Die Möglichkeiten sind endlos. Die schiere Anzahl möglicher Kombinationen macht jeden Schreibvorgang zu einem kreativen Akt. Selbst im einfachsten Text werden Sie an einem bestimmten Punkt für einen Moment pausieren müssen, um abzuwägen, ob Sie dieses oder jenes Synonym verwenden. In diesem Moment formen Sie die vage Idee, mit der Sie begonnen haben, zu etwas Präziserem: Der einfache Transfer vom Kopf zur Hand wurde zu einem kreativen Akt. Von diesem Punkt an potenzieren sich die Möglichkeiten. Das ist es, was das Schreiben schwierig macht – und das ist es auch, was es zu so einem wunderbaren Abenteuer macht.

Auf den vorangegangenen Seiten habe ich beschrieben, wie ich gerne schreibe, wenn ich genug Zeit habe. Jeder, der schreiben möchte und der es wiederholt versucht, im Hinblick auf eine Publikation, wird schließlich seine eigene Technik entwickeln und eine eigene Stimme finden.

Wie andere schreiben

Ich werde nun versuchen, einige Kategorien von Künstlerschriften zu bestimmen. Das Ganze ist spielerisch gedacht: Diese Ordnungssysteme sind weder Wahrheiten noch wollen sie vollständig sein. Ein Text mag mehreren verschiedenen Kategorien angehören. Um genaue Klassifizierungen geht es hier also nicht. Dieselben Kategorien wären möglicherweise auch dann relevant, wenn man über das Schreiben von Maurermeistern oder Rechtsanwälten nachdächte ... oder auch nicht!

Die erste Kategorie nenne ich:

Expressives, Ich-zentriertes Erzählen in der ersten Person

Was mir an Man Rays Autobiografie so gefiel, war die Art, wie er den Leser einlädt und es diesem leicht macht, sich mit ihm zu identifizieren. In dem Moment, in dem man dem Abenteuer der Ichs im Text ausgesetzt ist, wird man in eine Menge an verlockenden Assoziationen eingeführt. Als ich dieses Buch las, fühlte ich mich eingeladen, an etwas teilzuhaben: an einem Leben, einer Fülle an Werten, Erfolgen und Misserfolgen. Letzteres ist wichtig, denn Ich-zentrierte Autoren schaffen es seltener, echtes Vertrauen und Interesse beim Leser zu erzeugen, selbst dann, wenn sie eine gewisse Anzahl an Rückschlägen preisgeben. Enttäuschungen können in zahlreichen Formen dargestellt werden, nicht alle davon entsprechen ganz der Wahrheit.

Eine andere Künstler-Autorin dieser Kategorie, wenn auch weniger klar umrissen, ist Louise Bourgeois. Ich las *Destruction of the Father, Reconstruction of the Father*, eine Sammlung von Schriften und Interviews von 1923 bis 1997. Das Buch beginnt mit Tagebucheinträgen aus der Zeit, in der die Künstlerin zwölf Jahre alt war. Durch die verschiedensten Texte, die folgen – Briefe, Essays, Interviews –, zieht sich eine Konstante: der Fokus der Künstlerin auf ihre eigene Kindheit als Bezugspunkt all ihrer Arbeiten. In dieser Hinsicht ist Bourgeois das exakte Gegenteil von Man Ray, der seine ersten fünfzehn Jahre in ein einigen wenigen Seiten umreißt, auf denen nicht einmal die Namen seiner Eltern auftauchen! Der Unterschied scheint mir hier aber im Fokus zu liegen, nicht in der Methode. Schon früh erkennt Bourgeois, dass sie endlos zu ihrer Kindheit zurückkehren kann, zur Inspiration und als Material. Indem sie das tut, dekonstruiert und rekonstruiert sie diese für ihre Absichten. Die Kindheit ist für sie Werkzeug, Spiegel, Ausgangspunkt und Konstruktion.

Der Bourgeois-Text, den ich für die Leseliste ausgewählt habe, ist charakteristisch hierfür. Er vermischt Kindheitserinnerungen und introspektive psychologische Fragestellungen mit Beschreibungen von Bildhauerei und der Analyse jenes Prozesses, den ihre Skulpturen wie auch ihre Schriften durchlaufen.

29

Ich brauche meine Erinnerungen. Sie sind meine Dokumente. Ich wache über sie. Sie bilden meine Intimsphäre und ich hüte sie eifersüchtig. Cézanne sagte einmal: „Ich hüte eifersüchtig meine kleinen sensations.*“*

In Erinnerungen zu schwelgen und Tagträumereien nachzuhängen bringt nichts ein. Man muss zwischen den Erinnerungen unterscheiden. Wendest du dich ihnen zu oder kommen sie zu dir? Wenn du dich ihnen zuwendest, verschwendest du Zeit. Nostalgie ist unproduktiv. Kommen sie zu dir, sind sie der Keim einer Skulptur.

31
Da gab es einen Speicher mit offenem Dachstuhl. Er war sehr groß und sehr schön. Mein Vater hatte eine Schwäche für Stilmöbel. Alle sièges de bois *hingen hier oben. Es war makellos. Keine Polster, nur Holz. Man konnte emporschauen und sah dort die hängenden Armsessel, wohlgeordnet aufgereiht. Der Boden war nackt. Es war sehr eindrücklich. Das ist der Ursprung vieler meiner hängenden Arbeiten.*

34
Eine Tochter ist eine Enttäuschung. Bringst du eine Tochter zur Welt, muss dir erst vergeben werden, so wie meiner Mutter vergeben wurde, weil ich wie ein Abziehbild meinem Vater glich. Insofern hatte ich zum ersten Mal Glück. Vielleicht hat er mich deswegen wie den Sohn behandelt, den er sich immer gewünscht hatte. Ich war begabt genug, um meinen Vater zufriedenzustellen. So hatte ich zum zweiten Mal Glück.

Alle Töchter hassen ihre Mütter. In Freudschen Vorstellungen: Die Tochter tadelt die Mutter für den Verlust des Penis. Sie geben ihrer Mutter die Schuld an der Kastration. Ich bin sehr dankbar, dass diese Feuerprobe an mir vorüberging. Ich wäre völlig unfähig gewesen, mit der Kritik einer Tochter fertig zu werden.

Söhne sind immer für ihre Mütter eingenommen, falls sie von ihnen nicht gerade unfair behandelt worden sind. Das heißt, falls nicht zu viel von ihnen verlangt wurde, so dass sie zusammenbrachen. Viele Eltern machen aus der Tatsache, dass sie Kinder haben, einen Beruf. Sie leben nur noch für ihr Kind und zerstören es. Da ist es besser, Eltern zu haben, die ihre Kinder unbezahlt für sich schuften lassen.[11]

Bourgeois suggeriert, keine Kontrolle darüber zu haben, wie Erinnerungen ihre Arbeit beeinflussen. Die Schriftensammlung, in der viele Texte die Form von Statements oder Interviews haben, scheint jedoch, wo immer eine zweite Person involviert ist, sehr genau von der Künstlerin überarbeitet zu sein. Durchwegs sind die Texte in eine sehr präzise Form gebracht. Liest man die Schriften, kann man sich des Eindrucks nicht erwehren, dass diese Künstler-Autorin eine enorme Kontrolle hat über das, was sie tut.

Im letzten Abschnitt des gewählten Texts bezieht sich Bourgeois darauf, wie in Frankreich der Strukturalismus den Existentialismus ablöste und den intellektuellen Diskurs beherrschte. Sie sagt, die Strukturalisten interessierten sich für Wörter, Sprache und Grammatik, die Existentialisten hingegen für Erfahrung. Dann stellt sie sich entschlossen auf die Seite der Existentialisten, auf die Seite der Erfahrung.

Das aber tut sie in einem Text – indem sie Worte verwendet.

11 Louise Bourgeois: „Selbstausdruck ist heilig und verhängnisvoll" (1992). In: dies.: Destruction of the father, reconstruction of the father: Schriften und Interviews 1923–2000, herausgegeben von Marie-Laure Bernadac & Hans-Ulrich Obrist. Übersetzt von Tarcisius Schelbert und Inge Presser. Zürich: Ammann 2001. S. 244–245.

Methodische Enthüllung (philosophischer) Wahrheiten

Diese Kategorie will ich mit einem bekannten Text von Henri Matisse illustrieren: „Notizen eines Malers" von 1908. Matisse scheint am Schreiben an sich nicht sonderlich interessiert gewesen zu sein. In der Sammlung, der ich diesen Text entnommen habe, sind so gut wie alle restlichen Texte Interviews und ich habe nicht den Eindruck, dass Matisse auch nur einen davon editiert hat, wie ich es Bourgeois unterstelle. Matisse mag nicht das Bedürfnis gehabt haben, viel zu schreiben, aber seine Anthologie zeigt sehr deutlich, dass er immer bereit war, seinen Standpunkt darzulegen, sich darüber zu äußern, was seiner Meinung nach in der Kunst richtig oder falsch ist, was wertvoll ist und was man besser vermeiden sollte.

Den ausgewählten Text hat er selbst geschrieben, an einem frühen Punkt in seiner Karriere, als er bereits berühmt berüchtigt war und in der Öffentlichkeit häufig als eine Art „wilder Maler" betrachtet wurde: einer ohne Selbstkontrolle und ohne jegliche historische Kenntnis. Diesen Text, der zunächst in einem französischen Kunstmagazin erschien, verfasste er offenbar, um ebendiesem öffentlichen Image entgegenzuwirken. Innerhalb eines Jahres war der Text ins Russische und ins Deutsche übersetzt und in diesen Ländern publiziert worden. Ganz klar sollte er eine theoretische Basis und ein Verständnis schaffen für die neue, von Matisse begründete Art des Malens. Geschrieben in der ersten Person, ist der Text perspektivisch dennoch weit entfernt von der personen- und erlebnisorientierten Erzählweise Man Rays oder der Kindheitsfixierung Louise Bourgeois'. Matisse würde in keinem Text oder Interview jemals Geschichten über Familie und Freunde erzählen. Sein Fokus ist klar auf die Präsentation seiner Arbeit und seine Gedanken darüber gerichtet. Seine persönlichen Umstände bleiben privat. Seine Intention scheint es zu sein, den Leser vom Wert seiner Ideen zu überzeugen, nicht von der Attraktivität seiner Person.

Er schreibt über „Eindrücke", Methoden, den Prozess und über Ziele. Aber er spricht in allgemeinen Worten. Er vermeidet komplizierte Begriffe und konkrete Demonstrationen von Ideen, er wird nicht technisch. Wenn er pädagogisch wird, beschäftigt er sich eher mit allgemeinen Prinzipien als mit der Vermittlung praktischer Information.

Zwei typische Sätze:

> *Ich stütze mich bei der Wahl der Farben auf keinerlei wissenschaftliche Theorie: Sie beruht auf der Beobachtung, auf dem Gefühl, auf der Erfahrung meiner Sinne.*[12]

> *Gerade mit den einfachsten Mitteln kann der Maler sich am besten ausdrücken. Wenn er die Banalität fürchtet, wird er ihr weder durch ein befremdliches Äußeres entgehen noch durch Absonderlichkeiten der Zeichnung oder Exzentrik der Farbe. Seine Mittel müssen sich beinahe mit Notwendigkeit aus seinem Temperament ergeben.*[13]

Mit seiner zurückhaltenden Schreibweise, der Konzentration auf die Beschreibung seiner eigenen Methoden und

12 Henri Matisse: „Notizen eines Malers" (1908). In: ders.: Über Kunst. Hg. von Jack Flam. Übersetzt von Elisabeth Hammer-Kraft. Zürich: Diogenes 1982, S. 74.

13 Ebd., S. 76.

dem Beharren auf intuitiven Entscheidungen scheint Matisse andere nicht gerade anleiten zu wollen, wie sie zu arbeiten haben. Er ist kein Manifest-Schreiber.

Mit einer vielgenutzten Redensart könnte man sagen, er bietet dem Leser „Hilfe zur Selbsthilfe" an. Matisse wendet sich an ein Publikum, das bereits beeindruckt ist von seiner künstlerischen Arbeit. Viele seiner Leser sind selbst Künstler. Er versucht, seinem Publikum in Worten zu erklären, was er in seinen Bildern gemacht hat. Während des Lesens visualisiert man diese Bilder. Dieser Prozess ist schlicht und geradeheraus.

Ich glaube, diese Haltung dem Schreiben gegenüber fällt vielen Künstlern leicht, da sie einen direkten und scheinbar unkomplizierten Weg bietet, eigene „Entdeckungen" zu offenbaren: sie anzubieten, ohne auf ihnen zu bestehen, als die einzig richtige Lösung.

Systematische Enthüllung technischer und pädagogischer Wahrheiten

Natürlich ähnelt diese Kategorie derjenigen, in die ich Matisse gereiht habe, in einigen Punkten unterscheidet sie sich hiervon aber deutlich. Als Beispiele verwende ich eine kleine Publikation von Paul Klee und, später, ein wichtiges Buch von David Hockney.

Der frühe Modernismus ist mit Manifest-Schreibern und Lehrern gespickt. Nicht immer waren es die besonders Innovativen unter den Künstlern, welche Manifeste schrieben oder die engagiertesten Lehrer wurden. Vielleicht verspürten die Innovativen nicht den Drang nach Selbstbestätigung

– wie man sie durch das Schreiben eines Kubismus-Handbuchs erhält, wie Albert Gleizes und Jean Metzinger es taten, oder durch das Unterrichten kubistischer Grundlagen in einer eigenen Schule, Jahr für Jahr, wie es André Lhote tat, während sich Picasso längst Neuem zugewandt hatte.

Nichtsdestotrotz gab es einige erstklassige Künstler, die der Lehre höchste Priorität einräumten. Ein gutes Beispiel hierfür ist das, was in der und um die Bauhaus[14] Schule geschah. Systematisch wurde hier ein ganz neues Set ästhetischer Werte für die Gesellschaft entwickelt, inspiriert einerseits durch vorindustrielles Kunsthandwerk und die Grundformen aus der Natur, anderseits durch ein enthusiastisches Aufgreifen der neuen Möglichkeiten einer modernen Konstruktions- und Produktionsweise. Eine Atmosphäre herrschte an dieser Schule, die zuweilen einer neuen Religion glich. Paul Klee, der vielleicht bedeutendste Professor am Bauhaus, publizierte 1925 sein *Pädagogisches Skizzenbuch*, für seine Studierenden und andere.

Während sich Matisse in *Notizen eines Malers* auf allgemeine Richtwerte für die künstlerische Arbeit beschränkt („Hilfe zur Selbsthilfe"), scheut sich Klee nicht vor sehr konkreten Beschreibungen dessen, wie ein Bild funktioniert. Er dekonstruiert Bildsprache mit der Hilfe von Text und Diagrammen.

14 Weimar 1919–1925, Dessau 1925–1932, Berlin 1932–1933.

(40) Gestaltung des schwarzen Pfeils (Fig. 76).

Fig. 76

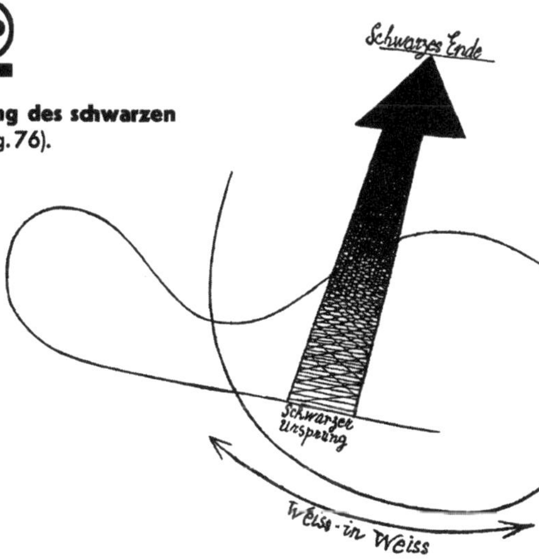

Sie besteht in der gesteigerten Energieentwicklung aus gegebenem oder zuständlichem oder gegenwärtigem Weiß nach eintretend handelndem oder zukünftigem Schwarz hin. Warum nicht umgekehrt? Antwort: es liegt der Akzent auf der minoren Besonderheit gegenüber der majoren Allgemeinheit. Letztere wirkt zuständlich, gewohnt, erstere ungewohnt, handelnd. Und der Pfeil fliegt in der Richtung der Handlung.

Bei wohlgeordneter Gliederung in beide Charaktere manifestiert sich die Bewegungsrichtung so zwingend, daß das verfängliche Symbol wegfallen darf.

Das Weißgegebene, das viel- und sattgesehene Weiß, wird als ein Gewohntes vom Auge mit wenig Akklamation aufgenommen; auf das gegensätzlich Besondere der eintretenden Handlung hin aber steigert sich die Lebendigkeit des Blickes bis zum Gipfel oder zum Ende dieser Handlung.

Dieses außerordentliche Anwachsen von Energie (im produktiven Sinne) oder von Energiekost (im rezeptiven Sinne) ist zwingend in bezug auf die Bewegungsrichtung.

[15]

15 Paul Klee: Pädagogisches Skizzenbuch (1925). Berlin: Gebr. Mann Verlag, 2003, S. 47.

Das *Pädagogische Skizzenbuch* beginnt mit einer Analyse der grundlegendsten Elemente eines Bildes: verschiedene Arten von Linien (aktiv, passiv, medial – mit ergänzenden Skizzen) und was sie in Kombination mit anderen Formen erzeugen.[16] Daran schließen, in ähnlich reduktiver Weise, Beschreibung und Dekonstruktion von anderen Bildelementen. Der Autor scheint anzunehmen, dass die Herstellung eines Bildes eine wissenschaftliche Grundlage hat und er eine Reihe von Wahrheiten kennt, die er uns vermitteln kann. Der fleißige Leser sollte fähig sein, dieselben Ergebnisse wie der Autor zu erzielen. Wie bei allen vergleichbaren Handbüchern für Künstler hat uns die Realität gezeigt, dass dieses Versprechen nicht leicht erfüllt wird. Wenn wir das *Pädagogische Skizzenbuch* heute lesen, tun wir dies vor dem Hintergrund des unverwechselbaren Charakters von Klees eignem bildnerischem Werk. Nur schwer können wir den Eindruck seiner pädagogischen Schrift von unserem Wissen darüber trennen, dass es niemandem wirklich gelang, in seine Fußstapfen zu treten. Kein ehemaliger Bauhaus-Schüler erreichte je einen vergleichbaren individuellen Status wie der Großteil der Bauhaus-Lehrer und schon gar nicht den von Klee!

Dieses positivistische Schreiben (das Wahrheiten feststellt) scheint auf den ersten Blick unter zeitgenössischen

16 In der Vorbereitung der deutschen Ausgabe von Ein Künstler–Text–Buch schlug ich zum ersten Mal Klees Originaltext nach und musste dabei feststellen, wie absolut unlesbar dieser ist. Der englische Übersetzer, auf dessen Version ich mich im vorliegenden Buch beziehe, hatte notgedrungen in den Text eingegriffen und ihn aufgeräumt. Was mich ursprünglich dazu bewogen hat, mich auf Klees Buch zu beziehen, war nicht so sehr der herausgelöste, einzelne Text als vielmehr die gesamte Kombination aus Text und Bildern. Das große Ganze in Klees Buch ist weit stimmiger als seine einzelnen Teile.

Künstlern selten geworden zu sein. Aber ist das wirklich so? Tauschen wir einmal das Angebot konkreter Ratschläge hinsichtlich visueller Produktion, also das Thema des Skizzenbuchs, gegen den enthusiastischen Einsatz hochabstrakter Theorien, dann sieht die Sache möglicherweise anders aus. Welche Beispiele für diese Attitüde man auch findet: Wollen wir hoffen, dass auch sie zwischen feststellenden, analytischen Bestrebungen und der künstlerischen Arbeit des Autors changieren, wie es im *Pädagogischen Skizzenbuch* der Fall ist.

Liest man Klees Schriften nämlich sorgfältig, so merkt man, dass die analytische Haltung zuweilen kippt und einer Art Poesie nahekommt. Ich glaube, dass es in diesem Büchlein eine eingebaute Kluft gibt, zwischen dem guten Ratschlag an der Oberfläche und dem Inhalt, der sich darunter verbirgt. Das bringt mich zu meiner nächsten Kategorie.

Literarisches Experimentieren mit offenem und verborgenem Inhalt

Zwei Schlüsselwörter: „literarisch“ und „verborgen“. In dieser Kategorie ist sich der Künstler-Autor – im Gegensatz zu den vorangegangenen Ordnungssystemen – der formalen Aspekte des Schreibens bewusst und experimentiert mit Sprache und Struktur. Mit Inhalt, der „offen“ oder „verborgen“ liegt, meine ich die Art, in der ein Text geschrieben sein kann, der seine Bedeutung in verschiedenen Schichten offenbart. Schichten, die zugänglich sind oder auch nicht, abhängig von der Fähigkeit des Lesers, den Spuren zu folgen und seine Vorstellungskraft zu nutzen.

Mein Beispiel ist der Text *A Craft Too Small* (Ein zu kleines Schiff) von Frances Stark, einer relativ jungen Künstlerin[17] aus Los Angeles, die eine Menge geschrieben und eine Sammlung ihrer Schriften veröffentlicht hat. Der gewählte Text ist Bas Jan Ader gewidmet und entstand für eine 2000 erschienene Publikation über dessen Werk. Ader war ein niederländischer Performancekünstler, der in Los Angeles arbeitete. 1975 ging er bei dem Versuch verschollen, den Atlantik mit einem sehr kleinen Segelboot zu überqueren, um in die Niederlande zurückzukehren. Diese Überfahrt war als künstlerischer Akt geplant, eine Performance mit dem Namen „In Search of the Miraculous" (Auf der Suche nach dem Wunderbaren).

An keiner Stelle des Textes bezieht sich Frances Stark explizit auf ihren Gegenstand, Ader. Dieser wird ausschließlich in der Widmung genannt. Sowohl jedoch der Titel, der Kontext, in dem der Text verfasst wurde, wie auch der Umstand, dass Stark auf ein kosmologisches Buch zu sprechen kommt, das „Auf der Suche nach dem Wunderbaren" heißt (nach dem Ader seine Performance benannt haben mag oder auch nicht), machen in subtiler Weise deutlich, dass der gesamte Text eine Reflexion über die tragische letzte Performance des Künstlers ist:

> *Ich erinnere mich sehr gut daran, dass ich mit vierzehn eine Freundin an der Schwelle zum Erwachsenwerden hatte, die mir sagte, dass sie lebensmüde sei und sich umbringen wolle. Den Gedanken, sein Leben zu beenden, konnte ich einfach nicht begreifen. Ich fragte sie, ob sie, anstatt sich umzubringen, viel-*

17 Jahrgang 1967.

leicht ihre Identität radikal ändern könnte und ein anderes Leben beginnen … Sage dir einfach: Ich bin nicht länger ich, ich werde „mich umbringen" und beginnen, anders zu leben. Das schien mir sehr einleuchtend und schlüssig. Ausgehend von meinem optimistischen und / oder pragmatischen Umgang mit ihrem Suizidwunsch hätte ich niemals meine eigene melancholische Veranlagung zur Antriebslosigkeit voraussehen können, aber die habe ich.

Was tue ich also, wenn ich antriebslos bin? Irgendwie bin ich es gerade, und was, wenn ich sagte: Ich bin so traurig, ich kann es euch gar nicht sagen?[18] *OK, das ist ein bisschen gezwungen, aber, wie auch immer, fragt irgendjemanden, der mich kennt, und sie werden euch sagen, dass ich dazu neige, depressiv zu sein, mich zu verzetteln und manchmal sogar zu weinen, wenn meine Arbeit unerledigt bleibt. Dann denke ich daran, meinen eigenen Rat zu befolgen und meine Identität aufzugeben. Das würde bedeuten meine Vergangenheit zu vergessen und all die praktischen Anekdoten, die sie hergibt. Noch wichtiger: Um meine Identität aufzugeben, müsste ich aufhören Künstlerin zu sein, aufhören Kunst zu machen.*

Ich müsste meine Arbeit aufgeben … und meine Arbeit ist mein Leben.

Es ist hundert Jahre her, dass mein Lieblingskünstler, der Schriftsteller Robert Musil in einem Brief an einen Freund schrieb: „Kunst ist für mich nur ein Mittel, um eine höhere Ebene des Selbst zu erreichen."

18 „I'm too sad to tell you" ist der Titel eines bekannten Kurzfilms (1970) von Bas Jan Ader (A.d.Ü.).

> *Es ist einen Tag her, dass ein Freund in einem Brief an mich schrieb: „Ich glaube, ich bin süchtig ... nach meiner Künstleridentität ... (was) wahrscheinlich schädlich (ist), für das Ideal des Kunstmachens an sich, das ist dir sicher klar." Ich schrieb zurück: „Wenn ich daran denke, die Identität auszurotten – versehentlicher oder absichtlicher Selbstmord –, drängt sich das Künstler-Ego immer hinein, lässt das alles wie eine inszenierte Bilderverbrennung aussehen, nur, damit eine Ausstellung ihrer Asche darauf folgen kann." Also sprach Zarathustra: „Ich liebe den, welcher aus seiner Tugend seinen Hang und sein Verhängnis macht: so will er um seiner Tugend willen noch leben und nicht mehr leben."*[19]

Dieser Text ist in einem beschwingten Plauderton geschrieben. Stark spricht in der ersten Person und zögert nicht, ihre Rolle als Künstler-Autorin herauszukehren. Der Text stellt viele Bezüge her, persönlicher wie literarischer Art – die um Themen wie Melancholie, Verzweiflung und Abschied kreisen. Es wird eine Stimmung geschaffen, die den Leser für sich einnimmt, wodurch er beginnt, die Referenzen und vereinzelten Informations-Häppchen miteinander zu verbinden. Das Ergebnis berührt und bewegt. Das Thema wird auf ungewöhnliche Weise behandelt, dem Leser eröffnet sich eine große Bandbreite an Assoziationen.

Ich möchte diese Kategorie noch mit einem weiteren Text illustrieren, einem sehr bekannten: „Fahrt zu den Monumenten von Passaic, New Jersey" von Robert Smithson aus dem Jahr 1967. Ich war Smithsons Texten lange Zeit konsequent ausgewichen, bis ich begann, mich auf diese Lektüre

19 Frances Stark: „A Craft too Small" (2000). In: dies.: Collected Writings. 1933–2003. London: Book Works 2003, S. 26. (Übers. C.H.).

vorzubereiten. Irgendwie wollte ich ihn nicht lesen, gerade weil es einen so überwältigenden Konsens darüber gab, wie bedeutend Smithson, seine Kunst und seine Schriften seien und wie viele sie inspirierten. Jetzt, da ich mich schließlich gezwungen habe, einige seiner Schriften zu lesen, verstehe ich vollkommen, was alle so begeistert: Smithson war ein wirklich brillanter Autor. Seine Texte sind Kunstwerke in sich. Man braucht kein Vorwissen über Kontext, Kunst oder Smithson, um in die Welten hineingezogen zu werden, die diese Texte erschaffen. Seine Sprache ist so reich, seine Intonation und sein Rhythmus sind so wohlklingend, dass sie ganz von alleine zum Lesen anregen.

Jeder Text hat eine eigene narrative Struktur. Oftmals wird eine Geschichte ausgehend von einer Reise erzählt. Ob man sich mit Smithson auskennt und/oder sich für seine Anliegen interessiert oder ob man einfach ganz allgemein liebt, was Kunst sein kann – der Text entfaltet sich wie eine Blume, offenbart Schicht für Schicht Bedeutung und Schönheit. Typisch für die meisten Smithson-Texte ist eine starke Betonung von Zeit und Ort, gegründet auf unzählige detaillierte Beschreibungen. Dazu gesellt sich eine Liebe zu abstrakter, philosophischer Erörterung, die durch die Betonung bestimmter Orte stets mit der Realität verbunden bleibt. In dieser Schreibweise gibt es keine Gleichförmigkeit: Jederzeit können sich die Ereignisse auf unerwartete Weise wenden und auf eine höhere oder tiefere Ebene wechseln. Nehmen Sie dieses Beispiel:

> *Als ich an den Resten des River Drive entlang weiter nach Norden ging, sah ich ein Monument mitten im Fluss – eine Pumpstation, von der eine lange Rohrleitung ausging. Ein Teil*

der Rohrleitung ruhte auf einer Reihe von Pontons, der Rest lag etwa drei Häuserblocks weit auf dem Flussufer, bevor er in der Erde verschwand. In dem Wasser, das durch das große Rohr lief, konnte man den Schotter rasseln hören.

In der Nähe war am Ufer ein künstlicher Krater, in dem ein heller, klarer Wasserteich stand, und aus der Seitenwand des Kraters ragten sechs große Rohre, durch die Wasser aus dem Teich in den Fluss strömte – ein monumentaler Brunnen, der an sechs horizontale Schornsteine denken ließ, die den Fluss mit flüssigem Rauch zu übergießen schienen. Die große Rohrleitung stand in einem rätselhaften Zusammenhang mit diesem infernalischen Brunnen. Es war, als ob die Rohrleitung heimlich eine verborgene technische Öffnung sodomisierte und einem monströsen Sexualorgan (dem Brunnen) einen Orgasmus verschaffte. Ein Psychoanalytiker würde vielleicht sagen, dass die Landschaft „homosexuelle Tendenzen" erkennen lasse, aber ich möchte keine so drastisch anthropomorphe Schlussfolgerung ziehen. Ich sage nur: „Es war da."[20]

Jack Flam, der Herausgeber von Smithsons Gesamtwerk, erklärt, dass Smithsons Stil es diesem erlaube ...

> ... scheinbar beliebigen Wahrnehmungen eine besondere Betonung zu geben, die in einer Einleitung eigentlich schwerlich einen Platz finden, die aber aufblitzen und einiges erhellen können, wenn sie richtig platziert oder *erblickt* werden.[21]

20 Robert Smithson: „Fahrt zu den Monumenten von Passaic, New Jersey" (1967). In: Walter Prigge (Hg.): Peripherie ist überall. Übersetzt von Christoph Hollender. Frankfurt/New York: Edition Bauhaus 1996. S. 249–250.

21 Jack Flam: „Introduction: Reading Robert Smithson". In: Robert Smithson: The Collected Writings. Hg. von Jack Flam. Berkeley: University of California Press 1996, S. xv. (Übers. C.H.).

und wie

> Smithson geschriebene Texte tatsächlich so behandelte, als ob auch sie – wie plastische Arbeiten – aus solidem Material gemacht wären; als ob Wörter nicht nur abstrakte Hinweise und Konzepte wären, sondern auch eine materielle Form.[22]

und schließlich:

> Einer der bemerkenswerten Aspekte in Smithsons gesamtem Werk ist die Art, in der er einen stark anti-romantischen, anti-erhabenen Standpunkt verwendet, um paradoxerweise das zu erschaffen, was ein romantisches Heraufbeschwören des Erhabenen zu sein scheint. Oder, präziser: Vor allem in vielen seiner späteren Arbeiten scheinen das Erhabene und sein Gegenteil zu koexistieren und einander sogar zu intensivieren.[23]

Es gelingt Smithson, durch die Vielschichtigkeit seiner Texte, etwas vom großen, wunderbaren Versprechen der Kunst zu vermitteln: das Leben reichhaltiger zu erfahren, Dinge klarer zu sehen, Eindrücke intensiver wahrzunehmen. In einem Wort: *zu verstehen*. Das tut er nicht, indem er erklärt, sondern indem er selbst erschafft, mit seinen Worten als Werkzeug.

Smithsons Schreibstil, voll von kenntnisreichen Bezügen zu kunstfernen Feldern, gibt einen ersten Vorgeschmack auf eine Entwicklung, die zu seiner Zeit[24] begann: die Theore-

22 Ebd. S. xv.

23 Ebd. S. xxiii.

24 Er kam 1973, 35-jährig, bei einem Flugzeugunglück ums Leben.

tisierung zeitgenössischer Kunstproduktion. Zum Teil war sie eine Folge des Erfolgs der Kunstströmungen Minimalismus und Konzeptkunst. Wer Mitte der Siebziger Jahre an einer der wichtigen amerikanischen Kunsthochschulen graduierte, dessen Lehrer konnte ebenso wahrscheinlich ein Konzeptkünstler gewesen sein wie ein Maler. Dieser Wandel brachte den flächendeckenden Eingang abstrakter Logik in die Kunstausbildung mit sich. Und im selben Zug folgten Kulturtheorie, Dekonstruktivismus und Postmodernismus. Alles Interessensgebiete wie gemacht für akademisch veranlagte Künstler – und Künstler-Autoren. Was mich zu meiner nächsten Kategorie bringt.

Bezugreiches, akademisches Schreiben mit höheren Ambitionen

Im Zusammenhang mit Künstlern, die sich damit herumschlagen, wie man eine Doktorarbeit schreibt, ist diese Kategorie offensichtlich von besonderer Relevanz. Mein Beispiel ist diesmal Mike Kelleys meisterhafter Essay von 1993: „Mit Toten Dingen spielen: Über das Unheimliche."

Robert Smithsons Ausbildung beschränkte sich auf ein Jahr oder zwei an der Art Students League in New York, noch vor seinem zwanzigsten Lebensjahr schloss er ab. Im Gegensatz dazu ist Kelley ein solides Produkt des neuen, akademischen Kunstausbildungssystems: Er hat einen Master of Fine Arts vom *California Institute of Arts* und war viele Jahre lang selbst Professor am *Pasadena College of Design*. Ich erwähne das, weil diese formalen Qualifikationen in einem gewissen Kontrast zu stehen scheinen zu Kelleys eigener Zuordnung in die Subkultur, zu Punk Rock, Comic Strips und anderem. Kelleys Texte machen jedoch schnell deutlich, dass er sehr belesen und in einer Bandbreite an theoretischen Diskursen zuhause ist. Es ist wichtig anzumerken, dass Kelley in all seinen verschiedensten Texten sicherstellt, dass die Tür nicht ganz zufällt. Sollte die akademische Luft stickig werden, besteht also die Möglichkeit zur Flucht. Der ausgewählte Text ist ein interessantes Beispiel, das mit einer Ausstellung über „ortspezifische" Skulpturen in der niederländischen Stadt Arnheim zusammenhängt. Immer auf der Suche nach Möglichkeiten, Dinge auf den Kopf zu stellen, kam Kelley auf die Idee, nach dem „örtlichen" Kunstmuseum zu fragen. Dann präsentierte er die radikale Idee (was in diesem Kontext, in dem das „Radikale" das Erwartete ist, eine neue Bedeutung erhält), eine „konservative" Ausstellung in diesem örtlichen Museum zu kuratieren. Sein Thema: der menschliche Körper, wie er sich im Spiegel einer Menge von gesammelten – künstlerischen wie nicht-künstlerischen – Artefakten zeigt. Die Wahl, diese Ausstellung zu kuratieren, war einerseits die ernstgemeinte Antwort auf eine aktuelle postmoderne Debatte, auf der anderen Seite aber

> *war das Projekt gewissermaßen ein Scherz über das Ortsspezifische als eine Geste des „Widerstandes".*[25]

Damit die Ausstellung nicht einfach als Parodie verstanden würde, beschloss Kelley, einen ambitionierten Essay für den

25 Mike Kelley: „Neue Einführung zu The Uncanny" (2002). In: ders.: The Uncanny. Hg. von Christoph Grunenberg. Übersetzt von Brigitte Blumenberg. Köln: Walther König 2004, S. A-9.

Katalog zu schreiben – und das wurde ein erstaunlicher Text: sehr fachkundig, originell, reichhaltig und inspirierend.

Der Teil und der Mangel (Die Organe ohne Körper)

In der neueren Kunst hat der moderne Begriff des Fragments als eines Mikrokosmos der Bereitschaft Platz gemacht, das Fragment Fragment sein zu lassen, der Partialität ihre Existenzberechtigung zuzuweisen. Wie im Fall von Naumans unbequem dysfunktionalem Formalismus ist Ganzheit etwas, womit man nur spielerisch umgehen kann, und das Bild der Ganzheit ist nur ein pathetischer Kommentar zur verlorenen Utopie der Modernität. Sie ist mit der Ausübung und Erfüllung sozial erwarteter Normen vergleichbar, mit der Darbietung eines falschen „wahren Selbst", lange nachdem der Begriff eines psychologisch einigen Geistes dem Schizophrenie-Modell als dem Normativen Platz gemacht hat.[38] *Heute sind „Täuschung", „Falschheit" und all die anderen Begriffe, die einst pejorative Konnotationen hatten, angemessene und gegenwärtig gebräuchliche Begriffe für die Funktion der Kunst. Der Surrealismus ist dafür eines der frühesten Beispiele. Salvador Dalí schrieb 1930: „Es muss den Kunstkritikern, Künstlern und anderen ein für allemal gesagt werden, dass sie von den neuen surrealistischen Bildern nichts weiter erwarten dürfen als Enttäuschungen, schlechte Eindrücke und Zurückweisung. Weit davon entfernt, bildnerischen Fragen auf den Grund zu gehen, und ähnlichen Dummheiten, nehmen*

(38) Vgl. R. D. Laing, „The Schizophrenic Experience", Kapitel 5. In: The Politics of Experience. New York 1967/68, S. 100–130. Gilles Deleuze und Félix Guattari: Anti-Oedipus. Kapitalismus und Schizophrenie. Übersetzt von Bernd Schwibs. Frankfurt am Main 1974, dies ist wohl der einflussreichste Text der jüngeren kritischen Theorie, der sich mit dem Schizophrenie-Modell befasst.

die neuen Bilder des Surrealismus zunehmend Formen und Farben von Demoralisierung und Verwirrung an."(39) Dalís Inspirationen („Masturbation, Exhibitionismus, Verbrechen, Liebe")(40) und der grundlegende Motivationsfaktor des Surrealismus, das Begehren, weisen alle auf den Mangel als Brennpunkt der Kunst. Kunst ist Schöpfung als Reaktion auf den Mangel. Ganz im Unterschied zu einem Stellvertreter für den Archetypus, den es geben muss, irgendwo, ist das Kunstobjekt eine Art Fetisch, ein Ersatz für ein reales Ding, das nicht da ist, das vermisst wird.[26]

„Mit toten Dingen spielen" hat die Struktur eines traditionell akademischen Textes. Er enthält Unmengen an Fußnoten wie auch kenntnisreiche Verweise auf Sekundärliteratur im Fließtext selbst. Liest man ihn aber genauer, so stellt man fest, wie sich der Text subtil von einem „echten" akademischen Text unterscheidet. Kelley selbst ist auf diesen Seiten präsenter, als es sich ein Wissenschaftler im Normalfall erlauben könnte. Das gilt für die Art, in der er dem Leser mit einem unverfrorenen „Ich" begegnet, sowie für die Wahl seiner Beispiele, bei denen er sich nicht um etablierte Klassifikationssysteme kümmert. Die Entscheidung, ein Objekt in eine Kategorie ein- oder daraus auszuschließen, basiert auf seiner Empfindung und nicht auf theoretischen Überlegungen. Zudem ist Kelleys Künstleridentität auf produktive Weise präsent. Indem der

(39) Salvador Dalí: „L'âne pourri". Le surréalisme au service de la révolution. Paris 1930. In: The Autobiography of Surrealism. Hg. von Marcel Jean. New York 1980, S. 268.

(40) Ebd.

26 Mike Kelley: „Mit Toten Dingen Spielen" (1993). In: Kelley 2004. S. A-23–A-24.

Leser der nüchternen Erläuterung der Wahl der Objekte für diese Ausstellung folgt, wirft er automatisch einen verstohlenen Blick auf Kelleys eigene künstlerische Praxis, ohne dass der Künstler-Autor das eigens thematisieren müsste. Das ermöglicht ihm zugleich, sich offensichtliche Widersprüche zu erlauben:

> *In allen Fällen behandle ich Fotografien als Dokumentationen figurativer Skulptur, auch solche, für die das nicht unbedingt zutrifft, zum Beispiel Cindy Shermans Fotografien von medizinischen Lehrmodellen, die zu Figuren arrangiert sind.*[27]

Ich werde nicht versuchen, Kelleys Argumentation in diesem Text detailliert zu analysieren. Ein Unterschied zwischen dem, was wir hier vorliegen haben, und dem, was wir zu lesen bekämen, hätte ein Kunsthistoriker diesen Text geschrieben, besteht darin, dass Kelley (wenngleich er sehr präzise und akademisch schreibt) keine Grenzen gesetzt sind. Wann immer ihm danach ist, kann Kelley sprunghaft das Thema wechseln, schließlich besitzt er eine Freiheit, die ein Kunsthistoriker so nicht für sich beanspruchen kann. Dennoch bleiben alle diese Sprünge, im Gegensatz zu Smithsons Text, innerhalb einer konservativen Sprachstruktur. Kelley verschreibt sich keinen Feuerwerken poetischer Kombination, wie sie so charakteristisch sind für Smithsons Text. Kelley schafft es, uns einerseits in erhellender Weise ein breites Hintergrundwissen zu vermitteln und sich zugleich selbstreflexiv als Künstler einzubringen. Sein Schreiben ist zugleich akademisch und subjektiv, witzig und herausfordernd. Dies ist ein Text, auf den man immer wieder zurückkommt, mit wachsendem Genuss.

27 Ebd. S. A-18.

Genaues Lesen

Ich habe schon erwähnt, dass mich ursprünglich nicht so sehr das Betrachten von Dingen zur Beschäftigung mit Kunst angeregt hat als vielmehr das Lesen über sie: in einem Buch, das ein Künstler über sich selbst geschrieben hat.

Ich habe einen etwas provokanten Ausdruck dafür gewählt, was ein Text meiner Ansicht nach mit dem Leser machen sollte: Ich sagte, er solle ihn „verführen". Mit dem Wort „Verführung" schließe ich anspruchsvolle philosophische Analysen keineswegs aus. Sie sind womöglich die verführerischsten Texte von allen. Es geht nicht darum, alle Schwierigkeiten eines Textes zu eliminieren, sondern darum, diese Hürden und das, was man vermitteln will, so attraktiv wie möglich zu kommunizieren. Das Ganze ist eine Qualitätsfrage und mit „verführerisch" meine ich jene Qualität, mit der der Text seine Leser so sehr in den Bann zieht, dass sie nicht aufhören wollen, bevor der Text zu Ende ist. Und wenn es dann so weit ist, sollte er eine Spur hinterlassen haben.

Es gibt viele Arten zu schreiben. Jeder Autor entwickelt seine ganz eigenen Methoden, um Hürden zu überwinden, wenn es um den Beginn eines Textes geht oder darum, zu einem stimmigen Schluss zu kommen. Im Anschluss an meinen ersten Vortrag entwickelte sich eine Diskussion darüber, ob es für den einen oder anderen sinnvoll sein könnte, anstatt eines Notebooks ein Aufnahmegerät zu verwenden, um Ideen zu sammeln und sie in Worte zu fassen. Jemand wies darauf hin, wie wichtig es sei, einen Bekannten zu haben, der den Text liest, bevor es zu spät ist, jemanden, dessen Reaktionen man nun seinerseits wiederum *lesen kann*. Diese Person hat niemals dieselbe Verbundenheit zu dem Geschriebenen wie man selbst und genau darum geht es. Man hört sich die Meinung und Kritik des anderen genau an und beurteilt diese Anstöße dann je nachdem, wie man die Person einschätzt. Auf Kritik, die man nicht freudig und bewusst ignorieren kann, muss man eingehen. Diesen Prozess kann man mit verschiedenen Menschen wiederholen. Zwischen deren divergierenden Meinungen ist man dafür verantwortlich, seinen eigenen Weg zu finden. Irgendwann aber kommt man an einen Punkt in der Entwicklung des Textes, an dem man das Manuskript keinen Freunden mehr vorlegen sollte. Auch die Möglichkeit, Hilfe von anderen einzuholen, ist begrenzt.

Gute Schreibtechnik hat viel damit zu tun, zwischen Rollen zu springen, mit der Fähigkeit, im einen Moment privat zu sein und sein Inneres, seine Fantasien zu erkunden und im nächsten Moment aus sich selbst herauszutreten und von außen das zu analysieren, was man im Inneren vorgefunden hat.

In der ersten Hälfte des Buches habe ich eine Auswahl an Kategorien für Künstler-Texte vorgeschlagen. Ich beanspruche für diese Klassifizierung keine Gültigkeit. Ich denke aber, dass der Versuch, Wissen und Material zu strukturieren, sinnvoll ist, selbst wenn diese Struktur später umarrangiert sein will.

In der zweiten Hälfte des Buches möchte ich vier weitere Künstler-Texte vorstellen und sie detaillierter betrachten. Diesmal aber lasse ich die Klassifizierung offen.

Das Leben verändern

In der Kunst gibt es letztlich keine Grenzen außer denjenigen, die wir selbst setzen. Oftmals stellen wir Regeln auf, um sie später brechen zu können.

In der Naturwissenschaft aber gibt es allgemein akzeptierte Grenzen und Regeln, so zum Beispiel das Prinzip der Reproduzierbarkeit. Wenn eine Gruppe von Wissenschaftlern neue Ergebnisse publiziert, die auf Experimenten beruhen, werden diese Ergebnisse – ungeachtet dessen, wie präzise und schön sie erscheinen – nicht akzeptiert, ehe eine zweite Gruppe die geschilderten Experimente wiederholt und dabei zum selben Ergebnis kommt. In diesem Moment findet die vorgebrachte Theorie Eingang in den kollektiven Wissensstand ihres Faches.

Es ist nicht anzunehmen, dass Ergebnisse einer künstlerischen „Forschung" eine solche Prüfung je bestehen würden. In den Geisteswissenschaften funktioniert die Beweisführung anders, aber selbst hier gibt es Regeln, die niemals in Frage gestellt werden – und vielen Künstlern allzu restriktiv erscheinen würden.

Für einen Wissenschaftler oder Gelehrten könnte es gefährlich werden, gegen die Regeln zu verstoßen, nach denen jemandes Werk zu kommunizieren und zu definieren ist. Und nun denken Sie daran, dass das Überschreiten von Regeln genau das ist, was man von zeitgenössischen Künstlern heute erwartet!

1905 formulierte Albert Einstein die „Spezielle Relativitätstheorie", in der er behauptete, Zeit sei nicht absolut, sondern relativ zu Geschwindigkeit. Damit überschritt er alle bislang gültigen Vorstellungen über das Wesen von Zeit und Raum. Dennoch veröffentlichte Einstein seinen Text in einer wissenschaftlichen Zeitschrift in der hierfür üblichen Sprache. Er verbreitete seine Ideen nicht etwa durch das Schreiben eines Romans oder durch die Komposition einer Oper. Andere sollten das für ihn tun, später.

Nach einiger Zeit berichteten andere Wissenschaftler, dass sie, als sie Einsteins Berechnungen wiederholten, zum selben Ergebnis kamen. Wiederum später bestätigten dann empirische Experimente zentrale Thesen von Einsteins Theorie.

Kurze Zeit nach der Veröffentlichung der „Speziellen Relativitätstheorie" schuf entweder Braque oder Picasso die „erste" Collage. Einer der beiden platzierte ein Stück bedruckten Papiers auf ein Gemälde oder eine Zeichnung und sagte: „Das ist Kunst." Und nicht wenige von denen, die das Bild sahen, nahmen seine Behauptung hin, woraufhin ähnliche Werke entstanden, von Picasso, Braque und anderen. Was aber hatte der Künstler bewiesen? Nichts – außer, dass es ihm gelang, sich selbst und andere davon zu überzeugen, sein Vorgehen anzuerkennen als ein Vorgehen, das den Wert von „Kunst" besitzt. Mit Sicherheit war er nicht der Erste, der, aus welchem Beweggrund auch immer, ein Stück bedruckten Papiers auf eine andere Oberfläche klebte. Er war jedoch der Erste, der diesen Akt als Kunst präsentierte, der Erste, der ihm in diesem Kontext Akzeptanz verschaffte, der Erste, der sich dazu entschloss, diese spezielle Grenze zu überschreiten. Das Einzige, was er bewiesen hatte, war, dass er fähig war, einen bestimmten Akt als Kunst zu behaupten, und zwar so überzeugend, dass andere dies durchgehen ließen.

Um die Begrifflichkeit aufzugreifen, die ich weiter oben vorgeschlagen habe, kann man sagen, dass er die Grenze in einer Weise überschritten hat, die verführerisch genug war, um damit durchzukommen.

Die Geste des Künstlers ist selbstreflexiv. Sie mag sich auch mit anderen Dingen befassen, aber ein Teil ihres Fokus wird sich immer auf sich selbst richten.

Heute ist es populär, künstlerische Untersuchungen mit dem Forschen des Wissenschaftlers zu vergleichen. Ich denke, in dieser Vorstellung lauern zahlreiche Probleme. Die Qualitäten beider Felder werden dabei missachtet. Ein Wissenschaftler wird immer um Ergebnisse bemüht sein, die in irgendeiner Form von anderen Wissenschaftlern geteilt werden können. Die Wissenschaft basiert auf dem Rationalen. Die künstlerische Arbeit knüpft an das Irrationale – und ihre Ergebnisse können, so scheint es mir, niemals wirklich auf der Basis einer gemeinsamen Übereinkunft geteilt werden. In der Kunst werden Regeln immer nachträglich aufgestellt. In der Kunst herrscht eine Freiheit, die gefährlich und wunderbar ist. Der einzige Weg nach vorne ist es, auf einen solch kraftvollen Ausdruck, eine solch mächtige Überzeugung zu setzen, dass im Rausch des Moments das Werk so inspirierend ist, so gut gemacht, dass jeglicher Widerstand überwunden wird – und die Arbeit akzeptiert!

Das beste Motto für einen Künstler ist meiner Meinung nach das von Arthur Rimbaud, das später auch die Surrealisten aufgriffen:

– Changer la vie. Das Leben verändern.

Hebdomeros

1999 organisierte ich ein ungewöhnliches Leseerlebnis in einer südschwedischen Galerie. Die Installation stellte den Höhepunkt meiner Liebesaffäre mit einem Roman dar, einer Affäre, die bereits 13 Jahre andauerte. Als ich das Buch zum ersten Mal las, hatte ich mich so stark mit dessen Inhalt und Tonfall identifiziert, dass ich sie mir zu Eigen machen wollte. Ich begann mit einer Übersetzung ins Schwedische, später fügte ich Illustrationen hinzu. Nun war ich der Grafikdesigner meines „Buches“. Anstatt es zu drucken, übertrug ich es händisch auf großformatige Arches Aquarell-Papierbögen, durchmischt mit kaschierten Farbfotografien. In der daraus entstandenen Ausstellung[28] lud ich den Besucher dazu ein, in das Buch im wahrsten Sinne des Wortes einzutreten und sich von dessen Seiten umgeben zu lassen, was unterschiedliche nicht-lineare Lesemethoden zuließ und mehrere Bedeutungsschichten gleichzeitig freilegte. Die 108 Seiten des Buches wurden im Uhrzeigersinn auf allen verfügbaren Wänden der Galerie angebracht. Der Besucher hatte die Möglichkeit, das ganze Buch Seite für Seite durchzulesen oder einzelne Seiten und Wörter visuell zu verknüpfen, er konnte beliebig zwischen den Seiten springen, die handgeschriebenen Bögen wie Bilder betrachten oder auch nur die Fotografien ansehen und so weiter und so fort …

28 „Jan Svenungssons HEBDOMEROS von Giorgio de Chirico“, Anders Tornberg Galerie in Lund, 6. März bis 18. April 1999.

Der narrative Raum des Buches hatte sich mit dem physischen Raum der Galerie verbunden. Meine Ausstellung war ein gewaltiger Versuch, mir einen geliebten Text anzueignen, und zwar so weit und auf so viele Arten wie möglich.

Dieser Text, *Hebdomeros,* ist ein surrealistischer Roman des griechisch-italienischen Malers Giorgio de Chirico. Er wurde auf Französisch[29] verfasst und erstmals 1929 in Paris veröffentlicht.

De Chirico zählt zu den einflussreichsten Künstlern der Moderne. Ohne ihn hätte es den Surrealismus, dessen Einfluss auf unsere heutige Kultur unermesslich ist, nicht gegeben.

Merkwürdigerweise dauerte de Chiricos „metaphysische Periode", welche diese Auswirkungen nach sich gezogen hatte, nur wenige Jahre – bis etwa 1917. Von da an änderten sich sein Stil und sein Denken. Als er erst 29 Jahre alt war, geschah etwas mit ihm: Ihn überkamen Zweifel, sein Glaube an die Kunst wurde erschüttert, er begab sich auf die Suche nach seinen heimatlichen Wurzeln ... Das führte zu einer Veränderung, die ihm die Kunstgeschichte bis heute übel nimmt. Mitte der zwanziger Jahre fand er sich in der sonderbaren Situation wieder, trotz seines relativ jungen Alters von der aufregendsten Avantgardebewegung in Paris als Vaterfigur verehrt und zugleich bekriegt zu werden, da sie seine Weiterentwicklung ablehnte. Als de Chirico eines Tages in einer Galerie neue Werke zeigte, organisierten die Surrealisten in einer anderen eine Gegenausstellung mit seinen älteren Werken. Diese Erfahrung muss entsetzlich

29 Französisch war für de Chirico eine erworbene Sprache, seine Muttersprache war Italienisch. (Geboren und aufgewachsen ist er in Griechenland.)

gewesen sein. Was war seine Antwort darauf? Ein Buch! Darin vereinte er alles: seine visuelle Welt, seine Ideen und seine Lebensansichten, seine Enttäuschung, seinen Zorn und seinen Sinn für Poesie. Das Buch wurde eines der wenigen Meisterwerke surrealistischer Literatur[30] und wurde sogar von seinen Feinden, den Surrealisten, gefeiert. Sie verglichen das Erscheinen des Buches mit dem Besuch bei einem Sterbenden, der plötzlich aus seinem Krankenbett hochfährt und ein paar brillante letzte Worte von sich gibt.

Hier die Eröffnungssequenz aus *Hebdomeros*, in der deutschen Übersetzung von Brigitte Weidmann:[31]

> *... Und dann begann die Besichtigung jenes seltsamen Gebäudes in einer nüchternen, aber vornehmen Straße, die nichts Düsteres an sich hatte. Von der Straße her machte das Gebäude den Eindruck eines deutschen Konsulates in Melbourne. Große Geschäfte nahmen das ganze Erdgeschoss ein. Obgleich weder Sonntag noch Feiertag war, hielten die Geschäfte geschlossen, was diesem Straßenzug das Gepräge melancholischer Langeweile verlieh, eine gewisse Trostlosigkeit, jene besondere Atmosphäre, die angelsächsische Städte am Sonntag haben. In der Luft schwebte ein leichter Geruch nach Docks; der undefinierbare und so suggestive Geruch, der in den Häfen aus den Lagerhäusern am Kai dringt. Die Ähnlichkeit mit einem deutschen Konsulat in Melbourne war ein ganz persönlicher Eindruck von Hebdomeros, und als er seine Freunde darauf aufmerksam*

30 De Chirico hätte die Bezeichnung „surrealistische Literatur" niemals akzeptiert und – möglicherweise – stattdessen „metaphysische Literatur" vorgeschlagen. Verzeihung!

31 Giorgio de Chirico: Hebdomeros (1929). Übersetzt von Brigitte Weidmann. Berlin: Henssel 1969, S. 7–8.

machte, lächelten sie und fanden den Vergleich witzig, gingen aber darüber hinweg und sprachen bald von anderem, woraus Hebdomeros schloss, dass sie vielleicht den Sinn seiner Worte nicht richtig erfasst hatten. Und er dachte nach über die Schwierigkeit, sich verständlich zu machen, die auftritt, sobald man sich in einer gewissen Höhe oder Tiefe zu bewegen beginnt.

„Es ist merkwürdig", sagte Hebdomeros noch einmal zu sich selbst, „mich würde der Gedanke, meinem Verständnis sei etwas entgangen, nicht einschlafen lassen, während die Leute im Allgemeinen ohne Beunruhigung Dinge sehen, hören oder lesen können, die ihnen vollkommen schleierhaft sind." Sie begannen die Treppe hinaufzusteigen, die sehr breit und ganz aus lackiertem Holz war; in der Mitte lag ein Teppich; am Fuß der Treppe, wo das Treppengeländer mündete, erhob sich auf einer kleinen, aus Eichenholz geschnitzten dorischen Säule eine ebenfalls hölzerne, vielfarbige Statue; sie stellte einen kalifornischen Neger vor, der mit beiden Armen eine Gaslampe über seinen Kopf erhob, deren Brenner mit einem Asbeststrumpf verkleidet war. Hebdomeros hatte den Eindruck, er steige zu einem Zahnarzt oder Arzt für Geschlechtskrankheiten hinauf; er verspürte deshalb eine leichte Erregung, gleichsam den Beginn einer leichten Kolik; er suchte diese Unruhe durch den Gedanken zu überwinden, dass er nicht allein war, dass zwei Freunde ihn begleiteten, kräftige, sportliche Jungs, die automatische Pistolen mit Ersatzmagazinen in den Gesäßtaschen ihrer Hosen trugen.

Jedes Mal, wenn ich den *Hebdomeros* lese, bin ich aufs Neue zutiefst gerührt. Ich kann nicht genau sagen, warum. Dürfte ich nur fünf Bücher auf eine einsame Insel mitnehmen, wäre *Hebdomeros* definitiv eines davon. Man Ray hätte sich damit erübrigt.

Ein typisches Merkmal dieses Textes ist die Gleichzeitigkeit von Höhen und Tiefen. Hebdomeros fühlt sich seinen Freunden überlegen, hat dabei aber einen nervösen Magen. Man beachte auch die präzisen, aber seltsamen Beschreibungen von Beobachtungen: „Von der Straße her machte das Gebäude den Eindruck eines deutschen Konsulates in Melbourne.“ Das ist eine sehr bildhafte Formulierung, die es uns dennoch nicht möglich macht, die Beschaffenheit des Gebäudes auf eine detailliertere Weise zu beschreiben. De Chirico war nie in Australien gewesen.[32] Während der Lektüre wird die Welt der metaphysischen Gemälde de Chiricos lebendig – jedoch in einem völlig anderen Medium.

Hebdomeros, der Titelheld des Romans, ist ein alters- und gesichtsloser Mann, der sich mit einer Freiheit durch Raum und Zeit bewegt, wie sie nur im Traum möglich ist. Er aber erlebt einen Wachtraum. Die Geschehnisse in diesem Text sind, im Gegensatz zu anderer surrealistischer Literatur, von einem merkwürdigen Realitätssinn getragen. Die Charakterzüge von Hebdomeros entziehen sich einer genauen Bestimmung: Er ist zugleich empfindsam und bestimmt, schwärmerisch und selbstironisch, Naturalist und Romantiker. Er liebt es, seinen Freunden von den sonderbarsten Begebenheiten zu berichten … und Freunde sind

32 … aber ich! Bei meiner Ankunft in Melbourne 1998 stand das deutsche Konsulat ganz oben auf meiner Liste der zu besuchenden Sehenswürdigkeiten. Sagen wir so: Es sah nicht genau so aus, wie im Buch … aber das macht nichts! Wenn ich auch jetzt den lebensechten Bezugspunkt kenne, bleibt die literarische Beschreibung wirksam. Der „Eindruck eines deutschen Konsulates in Melbourne“ beschwört nicht das Bild des deutschen Konsulates in Melbourne herauf, sondern eine genaue Vorstellung eines deutschen Konsulates in Melbourne, welche jener nahe kommen mag, die de Chirico im Sinn hatte, oder auch nicht.

immer in der Nähe. De Chirico dagegen war ein notorischer Einzelgänger.

Ist das nicht pure Fiktion, und zwar von der zügellosesten Sorte!?

So einfach ist es nicht: Das Buch ist Fiktion und zugleich so etwas wie die große Übersetzung von de Chiricos gesamtem visuellen Werk in eine mündliche Erzählung. Dieser Text enthält einige Subtexte. Meiner Ansicht nach gehört er zu den berührendsten Darstellungen vom Erleben des Künstlerdaseins, die je geschrieben wurden. Er beschreibt auf präzise Weise einen höchst widersprüchlichen Zustand, der abwechselnd beglückend und erniedrigend ist. Es ist unmöglich zu sagen, wo de Chiricos Ironie anfängt und wo sie endet. Unmöglich – bis man es wagt, selbst darüber zu entscheiden!

> *... und so sage ich euch, meine Freunde: geht planmäßig vor, treibt nicht Raubbau an euren Kräften; habt ihr ein Zeichen gefunden, so dreht und wendet es nach allen Seiten; betrachtet es von vorn und von der Seite, im verlorenen Profil und in der Verkürzung; legt es weg und verfolgt, welche Gestalt es in der Erinnerung annimmt; schaut, von welcher Seite es einem Pferd und von welcher andern es der Zierleiste eurer Zimmerdecke ähnlich sieht; wann es die Form der Leiter oder des federgeschmückten Helms evoziert; in welcher Stellung es an Afrika erinnert, das selber einem großen Herzen gleicht: dem Herzen der Erde; gewaltiges, erhitztes Herz; ja vielleicht sogar überhitztes; es schlägt zu schnell, es muss reguliert werden. Nach der Voraussage eines großen, vor etwa zwanzig Jahren verstorbenen Dichters ist es der Kontinent, auf welchem die Erde ihre letzte große Kultur erleben wird, bevor sie endgültig erkaltet und endet,*

wie der Mond geendet hat. Doch im Augenblick bewegen diese traurigen Mutmaßungen niemanden, um so weniger, als ihr euch alle seit langem im schwierigen Spiel übt, die Zeit zu verkehren und euren Blickwinkel zu ändern; das sei festgehalten, ohne euch zu schmeicheln; denn immer habt ihr dem Spott der Skeptiker die Beharrlichkeit metaphysischer Sucher und den duldsamen, hochherzigen, auserwählten Seelenadel geborener Dichter entgegengesetzt. Die ihr im Grunde noch weniger an den Raum als an die Zeit glaubt, ihr setztet eure Hoffnung immer wieder auf jenes rhythmische Fortschreiten, das die großen menschlichen Rassen vorwärtstreibt, ein Fortschreiten, dem nichts sich entgegenzustellen vermag; immer lebtet ihr im Glück jenes Dämmerlichts, das die vor der glühenden Mittagssonne geschlossenen Fensterläden euren kühlen Zimmern spenden, und im Nachsinnen über Lehrsätze, untilgbar auswendiggelernt wie das Abendgebet, das der frömmelnde Erzieher dem wollüstigen Kind beibringt." Also sprach Hebdomeros, und seine Schüler, zu denen sich einige Matrosen und Fischer der Gegend gesellt hatten, hörten ihm schweigend zu; aber weil sie sich immer dichter um ihn drängten, musste er zu einem bestimmten Zeitpunkt tun, was im gleichen Fall Christus auf den Rat eines Apostels tat: er bestieg ein am Ufer vertäutes Boot und fuhr, aufrecht im Bug stehend, in seiner inspirierten Rede fort. Fern hinter den Hügeln, die sich im Osten der Stadt erhoben, drang rein das erste Weiß des Morgens in den Himmel ein.[33]

Als ich 1986 *Hebdomeros* zu lesen begonnen und mich an den besonderen Charakter des Textes gewöhnt hatte, bemerkte ich etwas Eigenartiges: Der Text begann zu leben,

33 De Chirico 1969, S. 56–58.

seine Handlung wurde sichtbar. Ich sah einen Film, ins Innere meiner Augen projiziert, in seinem Detailreichtum so überzeugend wie das Leben selbst. Ganz und gar in diesen Text versunken wollte ich, dass ihn meine Freunde lasen, aber keiner von ihnen sprach französisch. So machte ich mich selbst an die Übersetzung. Ich begann – und schnell artete das Ganze in eine Obsession aus. Ich fertigte mehrere Versionen des gesamten Buches an, keine davon war wirklich gut. Nach einer Pause von ein paar Jahren nahm ich mich des Projekts wieder an. Ich reiste in die griechische Stadt[34], in der de Chirico seine frühe Kindheit verbracht hatte, um erdachte „Spuren" aus der Handlung und Szenerie des Buches zu fotografieren. Schließlich „veröffentlichte" ich meine illustrierte und übersetzte Version dieses Buches im Rahmen einer dreidimensionalen Ausstellung. Nun war es möglich, sich frei zwischen den Seiten dieses großartigen Abenteuers zu bewegen. Eine mehrstufige Transformation hatte stattgefunden: von de Chiricos Bildquellen zu seinem Text, von seinem französischen Text zu meinem schwedischen, vom bildhaften Wortinhalt seines Textes zu den konkreten Fotografien in meinem „Buch" und schließlich vom Raum zwischen den Buchstaben zum physischen Raum zwischen den Lesern. Keine dieser Verbindungen oder Übersetzungsebenen ist auf rationale Weise verifizierbar – sie alle hängen von unserer Intuition ab, die ihre Stimmigkeit bestätigt.

De Chirico versuchte, eine Kunst zu erschaffen, in der Ideen und änigmatische philosophische Konzepte visuelle Form annehmen. Eines Tages ging er einen Schritt weiter

34 Volos

und legte eine Version dieser Welt in Worten vor: einer Welt, die er eingeführt hatte und dann gedeihen ließ – in Bildern. Der Kunsthistoriker Gerd Roos arbeitet an einer Studie, die zeigt, dass es für nahezu den gesamten Text genaue Angaben über visuelle Quellen – Gemälde und Postkarten – gibt. Eine evozierte Vorstellung ist in Wirklichkeit ein erinnertes Bild. In dieser Hinsicht (und in vielen mehr) ist de Chirico ein Wegbereiter der Postmoderne.

Ein weiterer Bezug zum Visuellen liegt in der simultanen Lesart von Informationen in Bildern. Der *Hebdomeros* nimmt weder Rücksicht auf allgemeine Logik noch auf die Kontinuität von Raum und Zeit. Zugleich ist der Text unvergleichbar präzise in der Logik seiner Details – hier offenbart sich eine Haltung, die ich mit Freuden als das Privileg eines Künstlers bezeichne.

Wenn sich Hebdomeros durch den imaginären oder beinah realen Raum bewegt, ist er eine Inkarnation des idealen Künstlers, dem alle Gesellschafts- und Wissensschichten zugänglich sind. Sein Heldenstatus wird möglich (oder gar anziehend), da er sich stets des feinen Grats zwischen erhabener Größe und Lächerlichkeit bewusst ist – die Differenz ist weit geringer, als wir es wahrhaben wollen. Hebdomeros berührt uns, wenn er uns auf erstaunlich klare Weise den Weg weist – er ist einer von uns, das Großartige schlummert in uns allen!

Dieser Text hat mir gewissermaßen einen moralischen Imperativ aufgezeigt, der besagt, dass man über alles sprechen kann, in jeder Form, solange man mit höchster Präzision vorgeht.

Geheimes Wissen

Einer, der sich Hebdomeros' Imperativ offenbar zu Herzen genommen hat, ist der britische Künstler David Hockney. 1999, im Jahr meiner Hebdomeros-Ausstellung, kam er nach einer Serie von Ereignissen zu dem Schluss, dass ein Teil der Kunstgeschichte umgeschrieben werden müsse – und dass dies seine Aufgabe war.

Das dabei entstandene Buch heißt: *Geheimes Wissen. Verlorene Techniken der Alten Meister wieder entdeckt von David Hockney* (2001).

Mein Hauptinteresse bei diesem Buch besteht weniger darin, seinen sprachlichen Aufbau zu analysieren, als viel mehr darin, es als ein ambitioniertes Projekt zu betrachten. Indem er sich zum Schreiben dieses Buches entschließt, überschreitet Hockney eine unsichtbare Grenze. Künstler schreiben selten Kunstgeschichte – mit Worten. Hockneys Buch löste eine lebhafte Debatte aus; Symposien, Fernsehsendungen sowie eine beeindruckende Anzahl an Artikeln und wissenschaftlichen Schriften folgten als Reaktion darauf.

Hockney will den Beweis antreten, dass auf Linsen und Spiegeln basierende Projektionen in der westlichen Malerei bereits viel früher eine zentrale Rolle gespielt haben, als bisher angenommen. Bis zu diesem Zeitpunkt ging man davon aus, dass Vermeer van Delft eine Camera obscura als Hilfsmittel beim Malen benutzte, dass er mit dieser Technik jedoch, als Kuriosum der Kunstgeschichte, ziemlich allein dastand. Hockney sieht das anders: Er behauptet, dass in

Wirklichkeit ein Großteil der Maler seit etwa 1430 so etwas wie „frühe Fotorealisten" waren und von Bildprojektionen abmalten oder abzeichneten. Diese Technik habe den Stil ihrer Gemälde auf fundamentale Weise beeinflusst, erklärt Hockney. Für seine Theorie bietet er eine faszinierende Beweisführung, die weitreichende Konsequenzen hat. Hockney behauptet nicht, jeder habe optische Geräte eingesetzt; er zeigt stattdessen zwei parallele Entwicklungen auf. Er sagt, dass Maler ab einem bestimmten Zeitpunkt von der Möglichkeit der Projektion gehört und sich bewusst dazu entschlossen haben müssen, diese nicht zu nutzen. Bis 1840 war es nur mithilfe der Malerei und Zeichnung möglich, die Ergebnisse der optischen Projektion festzuhalten. Mit der Erfindung der „chemischen Kamera", wie Hockney sie bezeichnet, änderte sich alles – es gab nun einen Weg, das Bild festzuhalten, der keine nachzeichnende Hand mehr erforderte. Ab diesem Zeitpunkt, so Hockney, hält die Unbeholfenheit – nun als bewusster Akt – wieder Einzug in der Malerei. Die chemische Kamera übernahm die Rolle der Bildfixierung, die zuvor der Maler mit seiner Linse erfüllt hatte. Der Impressionismus folgte, danach die Explosion der Moderne. Damit triumphierte zum ersten Mal seit 500 Jahren eine nicht-fotografische Sichtweise, so Hockney. Die fotografische Sichtweise erlebte jedoch bald eine überraschende Wiederkehr: durch den Publikumserfolg des Kinos, dank der preisgünstigen Methoden, Fotografien in Magazinen abzudrucken – und schließlich durch das Fernsehen. Hockney zufolge hat erst das Aufkommen der digitalen Bildbearbeitung der Vorherrschaft der Linse ein endgültiges Ende gesetzt und damit eine nie zuvor dagewesene Freiheit eingeleitet. Das ist der Punkt, an dem wir heute stehen.

Die Haltung dieses Buches unterscheidet sich stark von den immer wieder aufkommenden Theorien darüber, dass der Stil bestimmter Künstler auf seinen jeweiligen Sehfehler zurückzuführen sei, mit Monet und El Greco als beliebten Zielscheiben. Diese Theorien betrachten Künstlerinnen und Künstler mehr als Maschinen denn als entscheidungsfähige Individuen und scheitern zwangsläufig am wahren Verständnis für die Kunst und deren Produktion. In Hockneys Buch hingegen wird das Entscheidungsvermögen des Künstlers hervorgehoben: Warum versucht man, etwas ohne Hilfsmittel zu zeichnen, wenn Hilfsmittel zur Verfügung stehen?

Hockney stellt fest:

> *Optische Geräte hinterlassen von sich aus auf dem Papier oder der Leinwand keine Spuren, dies gilt es noch einmal zu betonen. Sie vermögen lediglich ein flüchtiges Abbild zu erzeugen, gewissermaßen ein farbiges Muster, und sie stellen eine Hilfe dar, um mit Auge und Hand an den Dingen besser Maß zu nehmen. Erst durch den Künstler entsteht das Werk. An sein technisches Wissen und seine Begabung werden hohe Anforderungen gestellt, wenn es ihm gelingen soll, ein Bild wie gewünscht optisch zu projizieren und dann in Malerei zu übertragen. Von dem Moment an aber, wo einmal erkannt ist, wie groß der Einfluss der Optik auf die Malerei war und dass Künstler tatsächlich damit arbeiteten, verändert sich der Blick auf Gemälde. Neue, überraschende Ähnlichkeiten zwischen Künstlern, die ansonsten nichts miteinander gemein haben, drängen sich auf; große Unterschiede zwischen Malern, die üblicherweise eng miteinan-*

> *der in Verbindung gebracht werden, fallen plötzlich ins Auge; verzerrte Darstellungen und visuelle Brüche werden bemerkbar, die schwer zu erklären sind – außer, es werden optische Mittel in Betracht gezogen.*[35]

Geheimes Wissen ist in drei Abschnitte unterteilt. Der erste, „Bilddokumente" genannt, steht im Vordergrund. Hier führt Hockney anhand von Bildvergleichen in die Thematik ein, hauptsächlich mit Beispielen aus der Kunstgeschichte. Manche sind digital nachbearbeitet, um den Einfluss bestimmter linsenbedingter Verzerrungen aufzuzeigen. Im zweiten Teil, „Textdokumente", versammelt er Auszüge aus verschiedenen, historischen wie neuzeitlichen, schriftlichen Quellen, um die Funktionsweise der zahlreichen optischen Apparate zu demonstrieren und zu zeigen, dass Wissen über diese Apparate zu der Zeit vorhanden war.

Will diese Theorie überzeugen, so muss sie sich einem großen Einwand stellen: Wenn so viele die Optik benutzten, warum war uns das vorher nicht bekannt?

Hockney argumentiert damit, dass Maler, genauso wie andere Mitglieder bedeutender Zünfte, ihre Betriebsgeheimnisse wie ihren Augapfel hüteten und es vorzogen, nicht offenzulegen, wie sie zu ihren Ergebnissen kamen. Gleichzeitig deutet er an, dass veröffentlichte Belege für seine Theorie existieren, wobei nicht ganz klar ist, wie diese zu interpretieren seien.

Im letzten Abschnitt des Buches, „Briefwechsel", versammelt Hockney die Korrespondenz, die er mit Kunsthis-

35 David Hockney: Geheimes Wissen. Verlorene Techniken der Alten Meister wieder entdeckt von David Hockney. Übersetzt von Bernadette Ott & Rita Seuß. München: Knesebeck 2001, S. 131.

torikern und Optikforschern geführt hat. Hier erfährt der Leser von der Entstehung seiner Idee und gewinnt tieferen Einblick in manche ihrer Einzelheiten – wobei er sich auch gewisser Schwächen bewusst wird. Die Briefe sind mit genügend privaten Angelegenheiten bestückt, um eine Aura der Vertrautheit mit dem Autor zu schaffen: Man empfindet Sympathie für Hockney und wird geneigter, sich mit ihm und seinem Projekt zu identifizieren.

In gewisser Weise instrumentalisiert Hockney die Präsentation seiner Privatsphäre, um rhetorischen Nutzen daraus zu ziehen. Der erste Abschnitt des Buches liest sich beinahe wie eine Detektivgeschichte. Hockney, der Künstler, macht sich auf, ein wohlgehütetes Geheimnis zu lüften. Um sein Ziel zu erreichen, verwendet er die Mittel, die er hat: seine Fertigkeiten als Künstler und Zeichner, um seinen Fall in der Praxis zu belegen; seine Prominenz, um mit den richtigen Leuten in Kontakt zu kommen. Hockney, dessen Autorität als einer der weltweit berühmtesten gegenständlichen Künstler in sein Projekt einfließt, gelingt es, seine Argumentationsbasis auszudehnen, indem er Wissenschaftler und Gelehrte um sich versammelt, die für akademische Glaubwürdigkeit sorgen.

Ich finde es interessant, wie Hockney im ersten Teil des Buches unablässig sich selbst als Referenzpunkt für seine Argumentation einsetzt. Wenn er Zeichnungen anderer Künstler von einem Blickpunkt aus untersucht, der beschreibt, „wie etwas gemacht ist“, so tut er dies aus einer praxisnahen Autorität heraus, an die der akademische Kunsthistoriker wohl nie herankommen wird. Er führt Experimente mit optischen Apparaten und Spielarten der Camera obscura durch, wie sie seiner Vermutung nach in ähnlicher Form auch von den besprochenen Künstlern verwendet wurden. Die Ergebnisse seiner Zeichenexperimente werden, Seite an Seite mit den Zeichnungen und Gemälden alter Meister, als Illustrationen zur Veranschaulichung der Debatte herangezogen. Dennoch ist *Geheimes Wissen* kein verkappter Hockney-Kunstband. Hockney versucht in diesem Buch vielmehr seine Theorie zu untermauern, indem er, beinahe wie es ein Wissenschaftler täte, wiederholbare Experimente durchführt und vorlegt.

Innerhalb der gegenwärtigen Debatte über Kunst als Forschung stellt dieses Buch einen interessanten Fall dar. Es ist der mutige Versuch, in ein Feld der fest etablierten gelehrten Tradition eine neue Theorie einzuführen. Die Erschließung und Entwicklung der Theorie hängt von der Praxis des Künstlers ab. Um die Öffentlichkeit zu überzeugen, nutzt Hockney auf einfallsreiche Weise die besonderen Möglichkeiten, die er seinem Status verdankt. Jede Behauptung ist untermauert von einem Beleg, einerseits durch Reproduktionen aus allgemein zugänglichen Quellen, andererseits indem er eigene Experimente vorlegt, was nur einem höchst begabten Künstler auf überzeugende Weise gelingen kann. Was Hockney nicht mitbringt (offizielle wissenschaftliche Qualifikationen in den Bereichen Optik und Kunstgeschichte), „borgt" er sich, indem er seine Diskussionen mit Wissenschaftlern und Gelehrten auf den Plan bringt, nicht ohne einzuräumen, dass diese Experten seine Theorien zum Teil in Frage stellen. Ohne die Anwesenheit und das Können von David Hockney, dem Künstler, hätte

David Hockney, der Gelehrte, nicht auf gleiche Weise überzeugt! Ein weiterer „Kunstfaktor“ liegt in der Art, wie das Buch über seinen eigenen Entstehungsprozess reflektiert: ein typisches Kennzeichen für das Projekt eines Künstlers. Am Beginn steht der Beschluss, ein Buch zu schreiben, und im Laufe des Schreibens setzen sich die Erkenntnisse fort.

Die vorgelegte Theorie ist fesselnd – doch das trifft auch auf verschiedene Gegenargumente aus dem Internet zu, wo man akademische und wissenschaftliche Anfechtungen bestimmter Bestandteile der Theorie findet. Darauf werde ich jetzt nicht eingehen. Welchen Ausgang diese Debatte auch immer nehmen wird, das Buch hat in zweifacher Hinsicht Großes geleistet: Es eröffnete die Diskussion um dieses Thema und es ist der einzigartige wie eindringliche Versuch eines Künstlers, die Kunstgeschichte zu verändern – von der „anderen Seite“ her.

Der Traum vom Fliegen

Während David Hockney dem Risiko, widerlegt zu werden, die Stirn bietet, wird es von Jyrki Siukonen weitgehend gemieden. Das nächste Buch, das ich hier vorstelle, ist der theoretische Teil seiner „Demonstration des Wissens und Könnens“[36]: *Uplifted Spirits, Earthbound Machines* (Losgelöste Geister, Erdgebundene Maschinen).[37]

Siukonen macht sich auf, die Geschichte früher Flugmaschinen hinsichtlich ihrer Funktion als visuelle Artefakte zu untersuchen. Dabei erschafft er ein poetisches Werk, das umfangreiches historisches Wissen über frühe Aeronautik, die modernistische Avantgarde in der bildenden Kunst und den frühen Funktionalismus in der Architektur auf unorthodoxe Weise zusammenführt und in eine einfallsreiche und persönliche Erzählung münden lässt.

Siukonen zeigt Verbindungen zwischen diesen drei parallel laufenden Entwicklungen auf und erschafft weitere. Er verweist auf eine überwältigende Anzahl an Quellen und bietet eine umfangreiche Fußnotensammlung. Gleichzeitig scheint er diesen wissenschaftlichen Zugang brechen zu wollen, indem er bewusst nicht-akademische Beobachtungen in seinen Text einfließen lässt: Da finden sich „belang-

36 Bezeichnung für die Doktorarbeit eines Künstlers an der Finnischen Akademie der Bildenden Künste in Helsinki.

37 Wie de Chirico verfasste auch Siukonen sein Buch in einer erworbenen Sprache. Ich glaube, dass das Schreiben in einer Zweitsprache sowohl Vorteile als auch Nachteile mit sich bringt. Beides habe ich während meiner Arbeit an diesem Text erfahren. Es könnte lohnend sein, dieses Thema an anderer Stelle tiefergehend zu untersuchen.

lose“ Fußnoten. Da werden Bezüge zur Kindheit und zu den Träumen des Verfassers hergestellt. Da tauchen seltsame Nebenbemerkungen auf. Die „Geschichte“ entfaltet sich in Sprüngen, die manchmal eher der Intuition als der Logik des Autors folgen. Dieses Buch scheint entschlossen zu sein, seine eigene Kategorie zu kreieren, in der die Geschichte der Technologie in Hinblick auf ihr Potential gelesen wird, künstlerisches Schaffen zu inspirieren, und weniger hinsichtlich ihrer eigenen funktionalen Begriffe.

In der Einleitung begründet Siukonen seine Ambitionen, die ihn zum Schreiben dieses Buches veranlassten:

> *… zu untersuchen, wie der Schönheitsbegriff eingesetzt wurde, um neue technische Erfindungen zu beschreiben, insbesondere Flugzeuge.*[38]

Der Text nahm dann seinen eigenen Lauf, sagt er, und so ertappte er sich bald dabei, über eine unerwartete Vielfalt von Dingen zu schreiben.

Ein Schwerpunkt dieses Buches liegt in der Erkundung der formalen Möglichkeiten einer künstlerischen Doktorarbeit als solcher. Was muss im Vergleich zu einem traditionellen Modell geändert, was kann ergänzt werden? Die von einem Künstler verfasste Doktorarbeit weiß nicht, was sie eigentlich zu sein hat: wissenschaftlich oder künstlerisch oder beides. Ist beides gleichzeitig möglich? Kann das künstlerische Modell flugfähig sein – oder die akademische

38 Jyrki Siukonen: Uplifted Spirits, Earthbound Machines. Helsinki: Suomalaisen Kirjallisuuden Seura 2001, S. 10. (Übers. C.H.).

Alternative je die Sehnsucht des Künstlers stillen? Und welche Stelle können Träume in diesem Zusammenhang einnehmen? Folglich schließt Siukonen sein einleitendes Kapitel:

> *… ein Großteil dieser Arbeit – mehr eine Studie zur Schwerkraft als zur Levitation – handelt von persönlichen Träumen. Die drei für die obige Einleitung gewählten Zitate illustrieren meine Interessen aus unterschiedlichen Blickwinkeln. Der von Bachelard erwähnte ästhetische Charakter des Traumfluges war stets mein Ausgangspunkt, und ich stimme voll und ganz Wacjman zu, was die starken Emotionen und die Sinnesfreuden betrifft, die von den rationalisierten Ergebnissen dieses Traumes ausgelöst werden, den Maschinen selbst.*
>
> *Die Frage nach dem ästhetischen Wert dieser Maschinen ist laut Ozenfant auch von Bedeutung, wirft sie doch eine weitere, umfangreichere Frage nach der „großen Skulptur“ auf, und somit nach der Kunst, ihren Werten und ihrer Stellung in der Gesellschaft. Die emblematische* Letatlin, *in der alle Motive dieses Werkes schließlich zusammentreffen, stellt immer noch eine brauchbare Bewährungsprobe für alle drei Denkansätze dar. Handelt es sich um eine gescheiterte Maschine oder eine großartige Skulptur, einen rein ästhetischen Traum oder ein aussagekräftiges Symbol der conditio humana? Ich habe nicht die Absicht, eine vollständige Antwort zu geben, sondern eine Geschichte zu erzählen. Diese Geschichte soll, vor allen Dingen, dem Traum vom Fliegen gewidmet sein.*[39]

39 Ebd., S. 16–17.

Das Wort „Fliegen“ kann in diesem Werk zwei Bedeutungen haben: Die eine meint das Fliegen, auf rationaler Wissenschaft basierend, das die Aufgabe des Flugzeuges ist – die andere aber das Fliegen im Sinne von „seinen Träumen Flügel geben“: der symbolische Auftrag des Künstlers. Siukonens Präferenzen lassen sich erahnen, da er vornehmlich von Flugzeugen spricht, die nicht nach wissenschaftlichen Prinzipien, sondern nach ästhetischen Vorlieben gebaut wurden – und folglich niemals von der Erde abhoben, außer in den Träumen ihrer Schöpfer.

Die Wissenschaft fußt auf dem Gedanken des Fortschritts: Man erforscht ein Problem, um es zu lösen oder zumindest seiner Überwindung etwas näher zu kommen. In der Kunst werden Probleme niemals beseitigt. Es mag kurzfristig so aussehen, als wären sie verschwunden, doch sie sind längst bereit für ihre Rückkehr, sobald der Künstler ein neues Werk in Angriff nimmt. In den Naturwissenschaften kann Fortschritt geteilt werden. Ein veröffentlichtes Forschungsergebnis dient nachkommenden Forschern als Basis. So etwas findet in der Kunst nicht statt. Es mag so erscheinen, wenn Historiker die Vergangenheit systematisieren – doch die ideale Lösung des einen Künstlers kann für den anderen unbrauchbar sein. Die derzeitige Kunstausbildung trägt diesem Umstand Rechnung: Sie zielt immer darauf ab, die Fähigkeit der Schüler zu fördern, ihre eigenen Lösungen zu denselben alten Problemstellungen zu finden. Es ist wie das Wetter: Alles kehrt wieder, und zwar willkürlich. Und so kommt es, dass Siukonen neben einer gebräuchlichen Verwendung von Fußnoten eine beträchtliche Anzahl an nutzlosen Wetterberichten einbindet, die an bestimmte Ereignisse geknüpft sind. Diese Stellen, welche den Text als

„Kunst“ ausweisen, werden mit Abstechern in die sorgfältige Quellenrecherche aufgewogen, beispielsweise in der Bemühung, exakt auszumachen, wann Constantin Brancusi, Marcel Duchamp und Fernand Léger eine Flugzeugausstellung in Paris besucht haben – sofern sie das überhaupt je taten.

Gegen Ende des Buches bündelt Siukonen all sein poetisches Können und kombiniert es mit einem tiefen Griff in seinen Quellenschatz. Er spannt einen langen und anmutigen Handlungsbogen, der mit dem Scheitern Tatlins, eine Flugmaschine zu bauen, beginnt, sich über den Dichter Chlebnikow und die Autoren Jules Verne und H.G. Wells fortsetzt und bei den beiden Architekten Leonidow und Melnikow ankommt. In den Werken beider ist vom Fliegen die Rede; wir erfahren sogar, dass es von Melnikow den Entwurf eines Gebäudes gibt, das stark an zwei Flugzeugtragflächen erinnert – und tatsächlich ein Wohnheim darstellt, ein Schlaflabor für erschöpfte Arbeiter des Fünfjahresplans. Melnikow wird mit der Aussage zitiert, dem Schlaf werde im Leben nicht genug Bedeutung zugesprochen. Damit führt uns Siukonen an ein Konzept frei nach Le Corbusier (*„la maison est une machine à soigner“*) sowie an seine eigene Idee heran, dass in Melnikows Zeit, im von Stalin regierten Sowjetstaat, Schlaf der einzige Zufluchtsort war. Nur im Schlaf war Traum möglich. Und der Traum von einer Zukunft, wie in Majakowskis letztem Stück, in dem eine Zeitmaschine den Helden hundert Jahre in die Zukunft befördert, ist wie eine Flucht. Diese Flucht wird anschließend mit der Flucht zweier Sowjetpiloten über die Grenze und mit Majakowskis eigener Flucht in den Suizid verglichen. Sein Trauerzug passierte Tatlins Werkstatt. Siukonen zitiert einen Historiker mit der Aussage, die Wiedergeburt des Menschen sei das Leitmotiv in Konstantin Melnikows Architektur. Dem widerspricht Siukonen und bringt stattdessen ein, dass es keine Notwendigkeit für die Wiederauferstehung gebe, da Schlaf keinen „symbolischen Tod“ bedeute. Stattdessen hebt er hervor, dass Melnikows Träume, zusammen mit seinem Privathaus, das sehr ungewöhnliche Betten beherbergt und heute ein Museum ist, mit ihm während einer langen Überwinterung überlebt haben. Er stellt fest, dass es Melnikow war, der den ersten gläsernen Sarg Lenins entwarf. Natürlich erinnert ein gläserner Sarg an Dornröschen, was uns zu einer ausführlichen Betrachtung des Schlaflabor-Gebäudes mit seiner Doppelflügelstruktur zurückführt, die ihm das Aussehen eines Flugzeuges verleiht, das nie geflogen ist. Die Abbildung dieses Flugzeugs setzte Le Corbusier in einem Buch als Beispiel einer idealen Konstruktion ein. Es schmückte auch den Umschlag eines Kinderbuches und wird nun von Siukonen mit einer Traummaschine gleichgesetzt, die mit gebrochenen Dreifach-Tragflächen auf dem Boden liegt – ein indirekter Verweis auf das Scheitern des Sowjetexperiments. Nur im Schlaf konnten diese Piloten fliegen und nur im Schlaf konnten sowjetische Arbeiter von einer besseren Zukunft träumen. In ihrem Schlaf hätte dieses Flugzeug vielleicht abheben können und sie in ein anderes Land, an einen angstfreien Ort, bringen können. Als der französische Fotograf Nadar am Ende des neunzehnten Jahrhunderts in seinem Ballon reiste, berichtet Siukonen, erblickte er eine neue Welt, eine Welt, in der die Freiheit des Fliegens herrschte und Frieden und eine neue Ära mit sich brachte. So träumte er, wie Siukonen schreibt, in seinem Ballon von der Lösung eines gewaltigen Problems, und zwar von der Schwerer-als-Luft-Flugmaschine. Sein Traum ging, wie wir erfahren, am 17. Dezember 1903 in Erfüllung, als Orville Wright zum ersten Mal mit seiner Kitty Hawk abhob, ausgestreckt auf einer Tragfläche liegend, einem Schlafenden gleich.

Dies ist nur eine kurze und unvollständige Zusammenfassung des schwindelerregenden Fantasiefluges, den Siukonen etwa fünfzehn Seiten lang aufrechtzuerhalten weiß, ohne je vom Weg abzukommen. Ich habe einige bedeutende Ereignisse ausgelassen. Es gibt zu allem und jedem detaillierte Fußnoten. Alle erwähnten Ereignisse und Personen entsprechen den Tatsachen – und doch bildet das Ergebnis eine poetische Kategorie, aufgrund der Art und Weise, in der die enthaltenen Fakten ausgewählt und miteinander verbunden wurden. Das ist meines Erachtens ein sehr schönes Beispiel dafür, was in einem Text möglich ist, wenn man seinen Gegenstand und dessen erweiterten Kontext bis ins kleinste Detail kennt und beschlossen hat, seiner Fantasie freien Lauf zu lassen. Damit so etwas möglich ist, muss sich der Autor fast uneingeschränkte Freiheit einräumen – und niemals den Glauben daran verlieren, dass er damit durchkommen wird!

Nach dieser Explosion erzählerischer Freiheit kehrt Siukonen zu einer recht nüchternen Form einer Doktorarbeit zurück, wenn er eine Zusammenfassung über die Geschichten bringt, auf die er sich in seinem Buch bezogen hatte, und die Schlussfolgerungen, die er aus diesem Material ziehen will. Er schließt mit einem Zitat von Tarkowski, das besagt, dass die Kunst Träger der absoluten Wahrheit sei. Danach folgt ein weiteres Ende, ein dreiseitiger Nachtrag mit einer zweiten, äußerst pedantischen Aufzählung der widersprüchlichen, in mehreren Büchern auftauchenden

Angaben, die den möglicherweise mythischen Besuch von Duchamp, Léger und Brancusi bei einer Flugzeugausstellung im Jahre 1909 oder 1912 betreffen. Er kommt zu keinem abschließenden Urteil. Die Demonstration der Gelehrsamkeit ist beeindruckend und doch lauten die letzten drei Worte: „Ich weiß nicht." Während also der Pfad der Kunst zur absoluten Wahrheit führt, kann das Ringen des Gelehrten in der Ungewissheit enden!

Die implizite Referenz

Vor langer Zeit saß ich bei einem Mittagessen neben Jean-François Lyotard. Ich gab mein Bestes, intelligente Konversation zu betreiben. Er sagte etwas, das mich verstörte. Er behauptete, dass zum aktuellen Zeitpunkt keine Kunst eine genauere Betrachtung wert sei, die nicht ihre eigene Identität hinterfrage. Mit anderen Worten – es gibt keinen unvoreingenommenen Beobachter. Damals, bei Tisch, habe ich versucht zu protestieren, was aber schwierig war. Ich erinnere mich noch genau an diese Situation.

Was mich nun, da ich das Schreiben von Künstlern untersuche, interessiert, ist die Möglichkeit, „das andere Werk" (das bildnerische Werk des Künstlers) als direkte oder implizite Referenz zu jenem in Beziehung zu setzen, worüber der Künstler schreibt, auch wenn der Text oberflächlich von etwas anderem handelt. Beim Lesen von de Chiricos Buch dient sein visuelles Werk ständig als Quelle für Querverweise. In *Geheimes Wissen* ist Hockneys Malerei Teil jenes Bodens, aus dem die Autorität des Autors erwächst und die er zur psychologischen Betonung einsetzt.

Da das bildnerische Werk nicht von Verbaldefinitionen abhängt, kann es auf Ideen und Bedeutungsschichten im Text verweisen oder diese sogar hinterfragen – ohne sie aussprechen zu müssen. Folglich können schreibende Künstlerinnen und Künstler in ihren Texten eine Vielschichtigkeit und Fülle erzielen, wie sie schreibenden Nicht-Künstlern nicht in gleicher Weise zur Verfügung steht. Diese Technik – wenn man sie so nennen will – lässt oftmals autobiografische Elemente in Texte einfließen, selbst wenn diese von etwas ganz anderem handeln. Sie könnte auch Lyotards problematische Forderung erklären. Ich begriff nun, dass er Recht hatte.

Der kraftvolle Autor

Abschließend möchte ich eine Künstler-Autorin vorstellen, die sich von den vorherigen wesentlich unterscheidet. Sowohl Siukonen als auch Hockney illustrieren bis zu einem gewissen Grad und auf unterschiedlichem Weg, was geschehen kann, wenn ein Künstler beschließt, „auf der anderen Seite des Spielfeldes“ zu spielen, wenn er also eine Exkursion in den akademischen Bereich der Kunstgeschichte unternimmt. Im Gegensatz dazu ist meiner letzten Künstler-Autorin die akademische Welt vollkommen vertraut. Tatsächlich lebt sie in zwei parallelen Karrieren: Adrian Piper ist eine international erfolgreiche Künstlerin, die bis 2008 den Lehrstuhl für Philosophie am US-amerikanischen Wellesley College in Massachusetts innehatte. Und damit nicht genug: In beiden ihrer Rollen schreibt sie unentwegt.

Ihre Texte über Kunst[40] sind in einer sehr präzisen und transparenten Sprache verfasst. Man könnte sogar sagen, dass Transparenz eines ihrer wiederkehrenden Themen darstellt. Viele Texte Pipers erklären eigene Projekte. Sie thematisiert sozusagen die nicht unumstrittene Vorstellung, dass es die KünstlerIn selbst ist, welche die beste Erklärung ihrer eigenen Projekte bereithält. Die Präzision von Pipers Sprache ist offensichtlich aus ihrer philosophischen Praxis entliehen. Dennoch dominiert die Philosophin beim Schreiben nicht. Piper verwendet sich häufig selbst als

40 Adrian Piper: Out of Order, Out of Sight. Cambridge Massachusetts: MIT Press 1996.

Beispiel und sie lässt plötzliche Perspektivenwechsel und eine sprunghafte Vorgehensweise in ihre Texte einfließen. Zwei von ihnen werde ich vorstellen. Im ersten analysiert Piper eines ihrer eigenen Projekte im Detail und im anderen demonstriert sie mit großer Schlagkraft die Vorurteile und Missverständnisse im Zugang eines Kritikers zu ihrer Arbeit.

Piper wurde in New York als Tochter afroamerikanischer Eltern geboren. Ihre Hautfarbe ist jedoch so hell, dass sie nichtsdestotrotz für eine Weiße gehalten werden kann. Ebenso nicht einordenbar ist ihr Vorname, Adrian, der für beide Geschlechter, männlich wie weiblich, verwendet werden kann. Piper studierte Kunst und kam 1967, neunzehnjährig, mit Konzeptkünstlern in Kontakt, allen voran Sol Lewitt. Sie entdeckte dabei ihre eigene konzeptionelle Ader, die fortan ihre künstlerische Arbeit prägte. Nach ein paar Jahren jedoch enttäuschte sie der Mangel an Strenge in den Sprachanalysen ihrer Kollegen aus der Konzeptkunst. 1970 las Piper Kants *Kritik der reinen Vernunft* und begann Philosophie zu studieren. Gleichzeitig fuhr sie damit fort, Kunst zu machen, inzwischen vorrangig performativ. 1981 wurde ihr ein PhD verliehen. Schon einige Jahre zuvor hatte sie begonnen zu unterrichten. Ihre Parallelkarriere in der Kunst verbarg sie vor ihren Studierenden.

1987 wanderte eine Retrospektive über ihr Werk durch die Vereinigten Staaten und 1990 übernahm Piper als erste Afroamerikanerin einen Lehrstuhl für Philosophie in den USA.

Das wichtigste Instrument der Philosophie ist die Sprache, da es hier um das Formulieren klarer Gedanken geht. Alles, was geschieht, geschieht sprachlich. Philosophische Sprache kann sehr technisch sein, wie jene der Mathematik, es gibt eine weite Spannbreite an Möglichkeiten. Was im Sprachgebrauch eines Philosophen jedoch unter keinen Umständen akzeptiert werden kann, sind Nachlässigkeit und unabsichtliche Mehrdeutigkeit. Als professionelle Philosophin sitzt die Künstlerin Adrian Piper an einer wunderbaren Quelle für ihre Sprachbeherrschung.

Piper ringt unentwegt mit der Frage der Interpretationshoheit und fordert, dass sich der Kritiker, der das Kunstwerk kommentiert, zugleich seiner eigenen Position im Spiel bewusst ist und diese auch nach außen hin offenlegt.

Ich finde ihre Schriften auf paradoxe Weise anziehend: Alles ist präzise dargelegt, so detailliert und makellos, dass man sich selbst fast nicht zurückhalten kann, Ebenen dazu zu erfinden, die im Text nicht sichtbar sind, aber leicht darin liegen könnten. Kann man je ganz transparent sein? Muss sie nicht irgendetwas verbergen? Die Projektionen der Leser können in verschiedene Richtungen verlaufen, wie wir sehen werden. Sie können positiv sein, wie in meinem Fall. Sie können sich aber auch ins Negative wenden, wie im Fall von Donald Kuspit. Ein weiterer Faktor will genannt sein: Humor. In Pipers didaktische Exposition mischt sich häufig ein trockener, präziser Witz.

Der erste Text, „Notizen zu Funk I-IV“, ist entstanden, um eine Reihe von Performances zu erläutern, die zwischen 1982 und 1984 in Zusammenarbeit mit anderen Performancekünstlern stattfanden. In diesen „Funk Lessons“ gab Piper dem weißen Publikum Tanzunterricht. Der

Text demonstriert und analysiert ausführlich, wie man zu Funk-Musik tanzt, was Funk-Musik ausmacht, in welcher Beziehung Funk-Musik zur Kultur der schwarzen Arbeiterklasse steht und welche Schwierigkeiten ein weißes Publikum damit haben kann, ebenso wie die gebildete schwarze Mittelklasse auf andere Art und Weise Schwierigkeiten damit haben mag. Piper untersucht diese Bezüge erschöpfend detailliert und hoch informativ. Tatsächlich wird man mit vielen feinen Unterscheidungen bekannt, was den Funk – Musik wie Kultur – und die damit verbundenen Stereotypen und Vorurteile betrifft. Man erfährt, was Piper in ihren Performances erreichen wollte und welch seltsame Dinge in manchen von ihnen geschahen. Das alles könnte leicht langweilig werden ... aber das wird es nicht. Stattdessen überzeugt der Text seine Leser von Anfang an und hält ihre Aufmerksamkeit wach. Das liegt an der Großzügigkeit, die er ausstrahlt. Während sie eine Performance und einen Musikstil bespricht, gelingt es Piper, zugleich eine Menge an anderen Inhalten zu berühren, denen allen mit Interesse und Neugier begegnet wird. Politische Konsequenzen werden in Betracht gezogen. Der Leser lässt sich fasziniert davon leiten: Es macht Freude zu lernen!

> *Ist diese Musik also sexistisch? Geht sie auf Kosten der Frauen, wie einige TeilnehmerInnen an meinen Performances behauptet haben? Man denke beispielsweise an Songzeilen wie „Push, push, in the bush"; „That fox is fine, fine, fine with me"; „Best in the west" (gesungen von Chaka Khan, würde diese Zeile vermutlich eher auf Kosten der Männer gehen), und so weiter. Aber treffen wir zunächst einige grundlegende Unterscheidungen. Du lernst jemanden kennen. Ihr verknallt euch ineinander. Letzte Nacht*

habt ihr miteinander geschlafen, und heute fühlst du dich so gut wie schon lange nicht mehr. Du erzählst deinem besten Freund oder deiner besten Freundin davon (beziehungsweise MitbewohnerInnen oder LieblingsmitarbeiterInnen). „Oh, mein Gott! War er/sie fantastisch im Bett!" Geht es auf Kosten des/der neuen Geliebten, wenn du das zu jemandem sagst?

Betrachten wir einen anderen Fall. Du befindest dich gerade in deiner Gruppentherapiesitzung („consciousness raising group") (erinnert sich noch jemand an diese Gruppen?). Du hast dich gerade furchtbar über deine gescheiterten Beziehungen mit dem anderen Geschlecht erregt. Du tobst: „Alle Männer sind Schweine! (Alle Frauen sind Schlampen!)" Kann man dich der sexistischen Rede beschuldigen, wenn du das in der Gruppensituation sagst? Wäre es eine angemessene Reaktion, wenn Gruppenmitglieder unter den gegebenen Umständen diese Anschuldigung gegen dich richten? Betrachten wir einen dritten Fall. Du schwärmst in deiner Gruppe, die aus 25 Personen besteht, von den sexuellen Fähigkeiten deines/deiner Geliebten. Du möchtest deine Begeisterung, deine Freude, deine tiefe Befriedigung und deinen inneren Frieden in der Gruppe zum Ausdruck bringen, ohne dabei zu schwerfällig oder feierlich zu klingen. Du witzelst also: „Mmmm-mm! Die Brust (Brüste) dieses Mannes (dieser Frau) ist (sind) so schön anzusehen!"

Und so weiter.

Hier zeichnet sich vielleicht eine allgemeinere Einsicht ab, nämlich dass Sprache in keinem Vakuum existiert. Bedeutungen und Konnotationen hängen stets vom Kontext ab, in dem Sprache verwendet wird. Wenn zum Beispiel im Kontext eines Editorials

> *erklärt wird, dass Männer und Frauen nicht dieselben Berufschancen haben sollten, oder wenn ein Elternteil dem Kind die Gefahren und „Passiva" des anderen Geschlechts erklärt, so mag dies abwertend und sexistisch sein. Dieselben Erklärungen können im Kontext eines intimen Austauschs von Vertraulichkeiten und Gefühlen unter FreundInnen aber etwas ganz anderes bedeuten.*[41]

Dann ist da das Geschriebene an sich: Es ist rhythmisch, wie Funk: es „groovt". Pipers Texte verstehen sich nicht als Literatur. Dennoch greift diese Künstler-Autorin zu subtilen Mitteln, um ihre Sprache abwechslungsreich zu gestalten, um gut überlegte, strukturelle Sprünge zu machen, um die Länge von Wörtern zu variieren. Vielleicht war es genau dieses Gefühl von sich abzeichnender Perfektion, das eine komplett andere Reaktion bei dem Kritiker Donald Kuspit hervorrief, der eingeladen worden war, einen Essay zu Pipers Retrospektive (1987) zu schreiben. Dies ist das Thema des zweiten Textes, den ich ausgewählt habe: „An Open Letter to Donald Kuspit" (Ein offener Brief an Donald Kuspit).

Nachdem Kuspit seinen Essay geschrieben hatte, schickte er ihn an Piper, für ihre Anmerkungen. Sie war mit einigen Aspekten darin nicht einverstanden und antwortete ihm mit einer Kritik, die alles, was ihr in Kuspits Text schwach oder unbegründet erschien, detailliert benannte. Sie bat ihn um Überarbeitung. Es gab ein Telefonat, bei dem sie stritten, und Kuspits Text wurde aus dem Katalog genommen. Kurze Zeit später wurde Piper davon überrascht, dass Kuspit den

41 Adrian Piper: „Notizen zu Funk IV" (1984). In: Adrian Piper seit 1965. Metakunst und Kunstkritik. Übersetzt von Christian Höller. Wien: Generali Foundation 2002, S. 245–246.

Text nichtsdestotrotz veröffentlichte, in einer von ihm selbst herausgegebenen Zeitschrift. Sie las die veröffentlichte Version und stellte fest, dass Kuspit so gut wie nichts daran geändert hatte. Das verärgerte Piper und so beschloss sie, die Kritik in ihrem Brief noch um eine weitere, deutlichere Ebene zu ergänzen. All dies publizierte sie dann als offenen Brief.

Das Ergebnis ist ein einzigartiger Text. Es kommt nur selten vor, dass eine Künstlerin oder ein Künstler schriftlich auf Kritik antwortet. Das hat viele Gründe. Einer davon liegt in dem Umstand, dass der Kritiker das Schreiben professionell betreibt, der Künstler nicht. Folglich ist ein Duell auf dem Gebiet des Schreibens gefährlicher für den Künstler, der meist nicht dieselbe Wortgewandtheit besitzt wie der Kritiker. Zudem wollen sich Künstler ihre Kritiker nicht zu Feinden machen. Piper ist anders. Sie hat keine Angst und sie weiß, dass ihr Sprachvermögen mit jedermann mithalten kann. Also nimmt sie es mit Kuspit auf, analysiert extrem detailliert all jene Punkte, in denen er von den Fakten abkommt oder an denen er Betrachtungen äußert, die auf Projektionen, nicht auf Beobachtungen gründen. Pipers Text ist pedantisch, grausam und sehr witzig.

Seite 12:
„Metakunst führt zwangsläufig zu der ‚problematischen Lösung' der Performancekunst, wie Piper sie nennt. Laut Piper ist Performancekunst die logische Erweiterung und Realisierung der Metakunst – ihrer Theorie und konkreten Praxis."

Das sehe ich nicht so. Sie wollen sicher nicht andeuten, dass man, wenn man Metakunst macht, zwangsläufig bei der Per-

formancekunst landet, wie das Genre derzeit verstanden wird? Sicherlich können KünstlerInnen Metakunst in Malerei, Bildhauerei etc. praktizieren? Definitiv *tun* sie das, also *können* sie es offenbar. In jedem Fall erschließt sich mir nicht, wie Sie mir diese Sichtweise zuschreiben können, da ich sicherlich recht viel Metakunst über meine eigene nicht-performative Arbeit produziere. Ich verstehe tatsächlich nicht, was Sie hier zu sagen versuchen.

Seite 12:
„Beides [die Probleme der Interpretationshoheit und die der Transformation] beinhaltet mehr als nur einen Hauch von Narzissmus – Solipsismus? – der Pipers Tätigkeiten motiviert."

Welcher ist es? Narzissmus und Solipsismus sind zwei sehr unterschiedliche Verfassungen (*The Journal of Philosophy* wird irgendwann in diesem Monat einen Text von mir über Narzissmus und moralische Entfremdung veröffentlichen, falls Sie ihn lesen wollen [84, no. 2 (February 1987), pp. 102–118]). Ihre folgenden Ausführungen erklären nicht, welche der beiden Sie mir unterstellen wollen. Für das Protokoll: Sollten Sie „Solipsismus" meinen, mögen Sie recht haben; sollten Sie „Narzissmus" meinen, irren Sie, zumindest bezogen auf die klinische Definition dieses Begriffs. Aber womöglich verwenden Sie ihn auf irgendeine andere Art. In jedem Fall bin ich wirklich der Meinung, Sie sollten entweder alle Ausführungen, welche vorgeben über meinen gegenwärtigen psychologischen Zustand und den meiner Motivationen zu berichten, ausführlich rechtfertigen oder sie löschen. Tatsache ist, Donald, dass Sie mich wirklich überhaupt nicht persönlich kennen, und die Vortäuschung dessen ändert das nicht. Es kann Sie nur nachlässig und hinterhältig erschei-

nen lassen, in den Augen derer, die mich persönlich kennen – und denken Sie daran, seit 1967 hänge ich in der Kunstwelt herum und in der akademischen seit 1970, es gibt davon also ziemlich viele.

Ihre Entscheidung, im veröffentlichten Text *Solipsismus* zugunsten des *Narzissmus* zu streichen, greift mich als komplett sturköpfig an, insbesondere im Licht Ihrer darauffolgenden Erörterung. Dort behaupten Sie „*[Piper] artikuliert ein Selbst, das völlig eingenommen ist von seiner Erscheinung in der Welt, ein Selbst, das versucht, zu kontrollieren, wie die Welt es widerspiegelt. Man kann sogar sagen, dass solch eine Kontrolle Teil – die Essenz? – ihrer Kunst ist.*" Ohne jegliche substanzielle Textanalyse, um diese Behauptungen zu rechtfertigen, müssen sie jedoch verstanden werden entweder (a) als willkürliche autoritäre Äußerungen – und ich befürchte, diese Possen untergraben Ihre kritische Autorität mehr, als sie sie untermauern – oder (b) als emotionale Verlautbarungen darüber, wie Sie sich angesichts meiner Schriften fühlen. Es tut mir aufrichtig leid, dass Sie sich von meinen Texten kontrolliert fühlen, Donald. Andererseits fällt es mir schwer, mich einfühlsam in Ihren psychologischen Zustand zu versetzen, in dem die Gedanken der Künstlerin über ihre Arbeit erfahren werden als eine Quelle der Unterdrückung und der Kontrolle, anstatt der Information und der Erkenntnis.[42]

Piper eliminiert gezielt alles, was den Verdacht aufkommen lassen könnte, der Kritiker habe durch seine Sprachbeherrschung die Oberhand. Dies tut sie sowohl durch die offene Bezugnahme auf ihre Tätigkeit als Philosophin, als auch indem

42 Adrian Piper: „An Open Letter to Donald Kuspit" (1987). In: Adrian Piper: Out of Order, Out of Sight. Band II: Selected Writings in Art Criticism. Cambridge Massachusetts: MIT Press 1996, S. 116–117. (Übers. C.H.)

sie Elemente seiner technischen Sprache aufgreift. Den gesamten Text hindurch dreht sie Kuspits Waffen um und verwendet sie gegen ihn. Robert Storr, ein anderer professioneller Kritiker, schreibt im Vorwort zu Pipers gesammelten Schriften:

> ... dass der eigene Text von dessen hemmungslosem Subjekt „besprochen" wird, ist der Albtraum eines Kritikers. Jedoch sind, wie in allen Albträumen – was Pipers Bis-auf-den-Grund-Demontage der Thesen Kuspits zeigt –, die größten Horrorvisionen reine Produkte der unterdrückten Fantasien des Träumenden. In Kuspits Fall drehen sich diese um sein Bedürfnis, die antiquierte Vorstellung aufleben zu lassen, die den Künstler als schubweise eloquent, neurotisch und zu hochwertigeren Gedanken unfähig versteht und den Kritiker als überlegenes intellektuelles Wesen, das die sporadischen Einsichten kreativer Individuen in übergreifenden Theorien systematisiert.[43]

Am Ende ihres Textes behandelt Piper Kuspit wie einen ihrer Studenten. Und sie kommt damit durch, denn sie versäumt es nie, ihre Brutalitäten an Beispielen festzumachen – das heißt, sie sorgt bedachtsam dafür, selbst transparent zu bleiben, während sie des anderen Mangel an Klarheit entlarvt.

Piper besitzt eine außergewöhnliche Artikulationsmacht, was selbst Kuspit zugibt, der schreibt:

> *... – wir kommen nicht umhin, uns zu fragen, ob sie etwas verbirgt, wenn sie auch scheinbar alles enthüllt.*[44]

43 Robert Storr: „Foreword". In: Piper 1996, Band II, S. xiv. (Übers. C.H).

44 Piper 1996, Band II, S.112.

Bezeichnenderweise ist dieser Satz einer der wenigen in Kuspits Text, dem Piper zustimmt.

Hätte ich die Chance, würde ich Piper eine Frage stellen: Fügen Sie absichtlich zusätzliche Ebenen unter der sichtbaren Transparenz ihres Schreibens ein – oder ist das etwas, das unabhängig von Ihrer Intention geschieht? Für mich ist das Vorhandensein mehrerer Ebenen und einer bestimmten Ambivalenz bezüglich der endgültigen Aussage äußerst wichtig für einen Künstler-Text. Auf diesem oder jenem Weg wird sich Kunst immer an die Vorstellungskraft wenden. Die Funktion der Vorstellungskraft ist es nicht, Wörter – oder Fakten – als gegeben hinzunehmen. Es geht vielmehr darum, diese als Anstöße für Spekulationen um weitere Bedeutungen oder darüber, welche weiteren Handlungen möglich sind, zu nutzen.

Ich kann mir nicht vorstellen, wie das in einem Text funktionieren soll, der keine zusätzlichen Ebenen erlaubt. Kategorien des Schreibens, die keine Vielschichtigkeiten benötigen, sind zum Beispiel die Pornografie oder Anleitungen, wie man Steuerformulare auszufüllen hat, wohingegen die Poesie die Wissenschaft der Mehrdeutigkeit ist. Doch wie kann ich meinem Text diese Vielschichtigkeit geben – und kann ich jemals bestimmen, welche Bedeutungen darin umherschwirren?

Bewegungsfreiheit in alle Richtungen

In dem Workshop, den ich im Zusammenhang mit den ursprünglichen Vorträgen gehalten habe, versuchte ich, die Teilnehmer dazu zu zwingen, schnell zu schreiben, ohne Konzept. Ich glaube nicht, dass schnelles Schreiben zwangsläufig der beste Weg ist, einen Text zu verfassen. Was mich aber interessierte, war, wie ein Text dazu gebracht werden kann, „sich selbst zu schreiben" – wie man herausfinden kann, was die eigene Idee für einen Text ist, im Zuge des Schreibens selbst. Beim Schreiben beginnt ein Text zu leben, in einer dynamischen Interaktion zwischen:

schnell und langsam ...
Kontrollieren und Loslassen ...
Wissen und Risikobereitschaft ...
Wille und halb-bewusstem Traum ...

Zunächst ist ein Text ein Baby, unverständlich, aber verheißungsvoll. Er wächst auf und lernt, klarer zu kommunizieren. Vielleicht rebelliert er sogar irgendwann gegen seinen Verfasser. An einem gewissen Punkt zieht er dann von zuhause aus – und von da an hat sein Autor keinen Einfluss mehr darauf, was ihm widerfährt.

Was ist dann mein eigenes Ideal von einem Text? Nach all diesen Beispielen ... natürlich habe ich nicht *das* Rezept! Jeder erfolgreiche Text kreiert sein eigenes Ideal. Ich kann nur wiederholen, was ich schon einige Male gesagt habe: Ich finde es wirklich inspirierend, wenn ein Text auf transparente Weise geschrieben und trotzdem vielschichtig ist. Ein Text, der einfach zu lesen ist, da seine Struktur und Sprache geschmeidig sind und sorgfältig ausbalanciert. Eigentlich dürfte es schwer zu verhindern sein, einen solchen Text zu lesen, aufgrund seiner Anziehungskraft. Wenn Sie durch die Tür auf der ersten Seite getreten sind, finden Sie sich wieder in einem Raum, voll von Echos und vielen Bedeutungsebenen. Der Raum ist hell beleuchtet, nicht düster. Alle Details können genau betrachtet werden. Sie werden nicht stolpern. Aber was heißt das alles, was Sie hier sehen? Was will Ihnen das alles sagen?

Ich stelle mir diesen Raum vor, der durchwegs aus Sprache besteht. Der Leser kann sich darin frei bewegen, in alle Richtungen. Wie mein Held Hebdomeros kann er sehen, wie außergewöhnliche Dinge Gestalt annehmen, und kann sogar dasjenige zu verstehen beginnen, was unvorstellbar ist.

Nachwort
von Robert Pfaller

Müssen Künstler schreiben?

Jan Svenungssons Buch liefert in der aktuellen Situation, in der das Schreiben innerhalb der Kunst einen neuen Stellenwert bekommen hat, eine Reihe von dringend geforderten Anstößen. Zunächst, weil es nützliche Verfahrenstipps gibt, wie Kunstschaffende den Weg vom zündenden Einfall hin zum lesbaren Text bewältigen können. Noch wichtiger aber ist darüber hinaus, dass Svenungsson anhand brillanter Beispiele von Künstlerliteratur vorführt, wie viele mogliche Textsorten es dafür gibt; auf wie vielen verschiedenen – persönlichen, poetischen, schlicht nachdenkenden, anspruchsvoll philosophischen, parawissenschaftlichen, wissenschaftlichen etc. – Ebenen künstlerisches Schreiben stattfinden kann.

Das ist eine in der aktuellen Situation entscheidende Erinnerung. Im Moment wird nämlich an vielen Orten versucht, die Kunstschaffenden zum Sprechen bzw. Schreiben zu bringen – ganz so, als ob sie noch nie gesprochen oder geschrieben hätten. Vor allem seit die früheren Kunsthochschulen in Europa nun vielfach zu Universitäten geworden sind, glaubt man, den Künstlern nun auch Text abfordern zu müssen. Wer ein Diplom, einen Masterabschluss oder gar ein Doktorat oder eine Habilitation in der Kunst erreichen will, soll – so eine weit verbreitete Meinung und in vielen Ländern bereits gesetzlich implementierte Praxis – nicht nur künstlerische Arbeiten von hohem Niveau, sondern auch bis zu mehrere hundert Seiten Text mit Fußnoten vorlegen. In manchen Ländern werden von den Studierenden bei der Diplomprüfung gesetzlich vorgeschriebene 60 Minuten mündlichen theoretischen Diskurses zur eigenen Arbeit erwartet. Auch Kuratoren interessieren sich inzwischen fast nur noch dann für künstlerische Arbeiten, wenn diese bereits selbst Diskursivität und Anschlussfähigkeit an prestigeträchtige Theorien oder aktuelle kulturwissenschaftliche Debatten signalisieren. Die Vermehrung der Kuratoren hat hier zu einer seltsamen Entdifferenzierung des Feldes geführt: Während die heroische erste Generation von Kuratoren vom Schlag eines Harald Szeemann noch Neugier und Aufmerksamkeit für sperrige und hermetische künstlerische Positionen aufbrachte, erwarten heutige Kuratoren in den Künstlern ein nahezu gleichgeartetes Gegenüber. Dass es Kuratoren gibt, bedeutet also nicht, dass die Künstler sich mehr um die Kunst kümmern könnten. Vielmehr ist es genau umgekehrt. Je mehr Kuratoren es gibt, desto mehr müssen die Kunstschaffenden sich also selbst wie Kuratoren gerieren und deren Sprache sprechen. (Dies erinnert ein wenig an die Entwicklung an den Universitäten: Je mehr Verwalter es dort gibt, desto weniger können die Lehrenden und Forschenden lehren und forschen, sondern müssen auch selbst zunehmend zu Verwaltern werden und den Verwaltern permanent über das Forschen und Lehren berichten.)

Der Irrtum, der diesen Entwicklungen zugrundeliegt, ist, wie Svenungssons Buch erkennen lässt, ein doppelter. Erstens wird so getan, als hätten die Künstler bislang geschwiegen. Und zweitens wird so getan, als würde Sprechen oder Schreiben einen Zugewinn an Reflexivität und wissenschaftlicher Awareness bedeuten, welcher notwendig die Qualität der künstlerischen Arbeiten verbessert.

Zunächst aber haben viele Kunstschaffende immer schon geschrieben und sie haben sehr eigenständige Textgattungen dafür gebraucht, wenn nicht sogar entwickelt. Der aktuelle Sprech- und Schreibzwang, dem man sie unterwerfen will, bedeutet demgegenüber keinen Zugewinn, sondern eine Verengung auf ein einziges Sprachspiel – auf jene Form gelehrten, kulturwissenschaftlichen Sprechens, die ja übrigens bereits von Kuratoren und Kritikern meist eher mit ermüdendem als mit erhellendem Erfolg betrieben wird.

Und zweitens ist Reflexivität, wie Philosophie und Psychoanalyse gezeigt haben, etwas, das immer notwendig nach der Produktion kommt (die Eule der Minerva beginnt erst mit der einbrechenden Dämmerung ihren Flug) und auch dann, in diesem Nachhinein, keineswegs nur der Selbsterkenntnis des Geschafften bzw. Geschaffenen verhilft. Wenn wir reflektieren und uns im Spiegel betrachten, dann suchen wir meist nicht nach der Wahrheit über uns selbst. Viel eher sind wir auf ein vorteilhaftes Selbstbild aus, das wir jubilatorisch begrüßen und dank dessen wir uns durch andere geliebt fühlen. Solche narzisstische „Spiegelstadien" gibt es keineswegs nur in der Kunst. Sie treten regelmäßig auch in den Wissenschaften auf. Dort produzieren die Wissenschaftler dann, wie Gaston Bachelard gezeigt hat, Selbstbilder ihrer Wissenschaften in Gestalt von „Wissenschaftsphilosophien", die jedoch alles andere als getreue Darstellungen des tatsächlich wissenschaftlich Erreichten sind. Sie gehören vielmehr zum „Imaginären" des wissenschaftlichen Geistes: Diese „spontanen Philosophien der Wissenschaftler", wie Louis Althusser sie nannte, fallen als explizite Methodenlehren regelmäßig hinter die impliziten, tatsächlich praktizierten Erkenntnisverfahren der Wissenschaftler zurück. Es sind eitle Bilder, insofern sie einem Wunsch nach Akzeptanz entsprechen (so kleiden sie sich zum Beispiel gerne in die „geborgte Sprache" aktuell beliebter Wissenschaftsphilosophien); aber es sind, wie Bachelard betont, auch „Jugendbildnisse" der jeweiligen Wissenschaft – sie sind naiver und schlichter, mithin weniger schlau, als diese es durch ihre Entwicklung tatsächlich geworden ist.

Nun darf man niemandem das Recht nehmen, sich über sich selbst zu täuschen. Gefahr entsteht jedoch dann, wenn diese Selbstbilder eingesetzt werden, um als Normen weiteren Erkennens zu dienen. Dann werden die Wissenschaften durch sie gehemmt. Die plumperen Verfahrensbilder prägen dann die schlaueren Verfahren und schränken genau das ein, was an diesen schlauer ist als sie. Darum waren Bachelard und Althusser, gestützt auf eine „Psychoanalyse des wissenschaftlichen Geistes", skeptisch gegenüber der reflexiven Selbstbildproduktion der Wissenschaften. Den Einsatzort der Philosophie sahen sie nicht darin, die Wissenschaften philosophisch zu belehren, sondern vielmehr darin, die Wissenschaften vor den hemmenden Effekten ihrer eigenen spontanen Philosophien zu schützen. Ähnlich wie Ludwig Wittgenstein begriffen sie den Wert der Philosophie sozusagen als einen „negativen Nutzen": Die Philosophie kann zu nichts anderem helfen als dazu, eine bereits entstandene, schädliche Philosophie zu beseitigen.

Diese Lehren aus der neueren Wissenschaftstheorie sollten wir auch in Bezug auf die Kunst ernst nehmen. Anstatt überheblich zu meinen, wir könnten die Kunst philosophisch oder kulturwissenschaftlich belehren und dadurch universitätswürdiger gestalten, sollten wir die Gefahr der Selbstverkennung, wie sie in allen Wissenschaften auftritt, in der Kunst nicht durch institutionellen Selbstverkennungszwang noch verstärken. Der Einsatz von Theorie in Bezug auf die Kunst sollte, genau wie auch in Bezug auf die Wissenschaften, darauf gerichtet sein, die Kunst vor Theorielastigkeit und Theoriegehemmtheit zu schützen. Auch die derzeit umstrittene Bezeichnung „künstlerische Forschung" sollten wir, in präziser Analogie zur wissenschaftlichen Forschung, nicht als den Anteil von wissenschaftlicher Leistung an der Kunst oder auch als den Anteil von expliziter, wissenschaftlicher Metareflexion begreifen, sondern vielmehr als dasjenige, was die Kunst tatsächlich und meist implizit tut. Künstlerische Forschung ist nicht das, was die künstlerische Arbeit aus anderen wissenschaftlichen Praktiken entnimmt, sondern vielmehr das, was sie daraus macht. Es ist genau jene spezifische, mit immer neuen Methoden durchgeführte Arbeit, die zur Gewinnung der spezifischen Resultate der Kunst führt: wenn sie zum Beispiel aus wissenschaftlichem (oder auch ganz anderem) Grundmaterial etwas ganz anderes werden lässt – nämlich Kunst, mit deren spezifischen Effekten.

Was Jan Svenungssons Buch mit souveränem Überblick und mit Liebe zum Detail vorführt, ist die Vielzahl, Vielfältigkeit und Eigenwilligkeit von Sprachspielen, in denen Kunstschaffende eine Fortsetzung ihrer eigenen Praxis mit anderen Mitteln betrieben haben. Damit leistet Svenungsson einen entscheidenden Beitrag dazu, dass wir wieder neugieriger werden auf künstlerische Äußerungen – seien es sprachliche oder andere –, dass wir nicht so sehr auf das blicken, was sie über sich selbst sagen, sondern auf das, was sie sagen; nicht so sehr auf das, was sie über sich selbst wissen oder zu wissen glauben, sondern auf das, was sie tatsächlich leisten – vielleicht ohne zu verraten, ob sie dies auch wissen oder nicht.

Zum Weiterlesen

Louise Bourgeois: Destruction of the father, reconstruction of the father: Schriften und Interviews 1923–2000, herausgegeben von Marie-Laure Bernadac, & Hans-Ulrich Obrist. Übersetzt von Tarcisius Schelbert und Inge Presser. Zürich: Ammann 2001.

Giorgio de Chirico: Hebdomeros (1929). Übersetzt von Brigitte Weidmann. Berlin: Henssel 1969.

Tacita Dean: An Aside. Selected by Tacita Dean. London: National Touring Exhibitions 2005.

David Hockney: Geheimes Wissen. Verlorene Techniken der Alten Meister wieder entdeckt von David Hockney. Übersetzt von Bernadette Ott & Rita Seuß. München: Knesebeck 2001.

Mike Kelley: The Uncanny. Hg. von Christoph Grunenberg. Übersetzt von Brigitte Blumenberg. Köln: Walther König 2004.

Paul Klee: Pädagogisches Skizzenbuch (1925). Berlin: Gebr. Mann Verlag, 2003.

Henri Matisse: Über Kunst. Hg. von Jack Flam. Übersetzt von Elisabeth Hammer-Kraft. Zürich: Diogenes 1982.

Adrian Piper seit 1965. Metakunst und Kunstkritik. Übersetzt von Christian Höller. Wien: Generali Foundation 2002.

Man Ray: Man Ray, Selbstportrait. Eine illustrierte Autobiographie (1963). Übersetzt von Reinhard Kaiser. München: Schirmer/Mosel 1998.

Jyrki Siukonen: Uplifted Spirits, Earthbound Machines. Helsinki: Suomalaisen Kirjallisuuden Seura 2001.

Robert Smithson: The Collected Writings. Hg. von Jack Flam. Berkeley: University of California Press 1996.

Frances Stark: Collected Writings. 1933–2003. London: Book Works 2003.